中華國學經典百部
精華本

资治通鉴

［北宋］司马光 著
王光波 译注

中国书店

图书在版编目（CIP）数据

资治通鉴 /（北宋）司马光著；王光波译注 .—北京：中国书店，2023.10

（中华国学经典百部：精华本）

ISBN 978-7-5149-2963-8

Ⅰ . ①资… Ⅱ . ①司… ②王… Ⅲ . ①中国历史－古代史－编年体②《资治通鉴》－译文 Ⅳ . ① K204.3

中国版本图书馆 CIP 数据核字（2022）第 075445 号

资治通鉴

〔北宋〕司马光 著　王光波 译注

责任编辑：卢玉珊

出版发行：中国书店

地　　址：北京市西城区琉璃厂东街 115 号

邮　　编：100050

电　　话：（010）63171753（总编室）

（010）63017857（发行部）

印　　刷：三河市嘉科万达彩色印刷有限公司

开　　本：787mm × 1092mm　1/32

版　　次：2023 年 10 月第 1 版第 1 次印刷

字　　数：138 千

印　　张：6（全 300）

书　　号：ISBN 978-7-5149-2963-8

定　　价：1490.00 元（全 50 册）

前言

《资治通鉴》简称《通鉴》，是北宋司马光主编的一部编年体通史，共二百九十四卷，历时十九年完成。《通鉴》以时间为纲，事件为目，记载了上起周威烈王二十三年（前403），下讫后周世宗显德六年（959），共十六朝一千三百六十二年的史事。

《资治通鉴》创作于北宋时代。当时，在经历了唐末的长期混战之后，国家实现重新统一，社会经济得到恢复和发展，学术文化更加繁荣；同时，内政多弊，御戎不力，“积贫积弱”，政局依然不太稳定。可以说，这是一个极富生气的时代，又是一个苦闷的时代，是一个前进的时代，又是一个积贫积弱的时代。为此一些有识之士提出了很多治国方针，有立志改革，而实行变法的；有主张以“柔道”治天下，说祖宗之法不可变的。而掌握知识与文化的大家们，尤其是历史学家，如欧阳修、司马光、范祖禹等，则选择了以文字的力量教化民众。他们面对现实而回顾历史，总结历史经验教训，为了治国安邦，更好地处理当时的社会矛盾而倾心创作。在这一时期所涌现的诸多著作中，司马光主编的《通鉴》最具代表性。

在这本书中，我们可以清楚地看到历史的发展脉络，看到秦、汉、隋、唐等统一王朝和战国、三国两晋南北朝、五代十国等政权的兴衰过程，看到帝王将相们的处世之道、为政之法，以及他们在历史旋涡中的生死沉浮、悲欢离合。

正所谓：“为人君而不知《通鉴》，则欲治而不知自治之源，恶乱而不知防乱之术；为人臣而不知《通鉴》，则上无以事君，下无以治民；为人子而不知《通鉴》，则身必至于辱先，做事不足以垂后。”司马光正是看到了这样的兴衰历程，才决心以前代杰出君王的事迹，启示当代以及后世者，使之明晓治国处世之道，避免重蹈覆辙。

《资治通鉴》按朝代分为十六纪，即《周纪》（五卷）、《秦纪》（三卷）、《汉纪》（六十卷）、《魏纪》（十卷）、《晋纪》（四十卷）、《宋纪》（十六卷）、《齐纪》（十卷）、《梁纪》（二十二卷）、《陈纪》（十卷）、《隋纪》（八卷）、《唐纪》（八十一卷）、《后梁纪》（六卷）、《后唐纪》（八卷）、《后晋纪》（六卷）、《后汉纪》（四卷）、《后周纪》（五卷）。

由于篇幅有限，本书从原著所记的三千多个历史事件中，精心遴选最精彩、最典型的故事，以供读者朋友们窥一斑而见全豹。全书的选材倾向于政治方面，加以组织整理后，既保留了原书的精髓，在语言文字的运用上又适合当代人的阅读习惯。衷心地希望读者朋友们能够通过这个选本体会到《资治通鉴》的精华和魅力，学到可用的治世之道和处世之法。

目录

周纪

秦纪

汉纪

魏纪

晋纪

齐纪

梁纪

陈纪

隋纪

唐纪

周　纪

三家分晋

【原文】

周威烈王二十三年……初，智宣子将以瑶为后。智果曰："不如宵也。瑶之贤于人者五，其不逮者一也。美鬓长大则贤，射御足力则贤，伎艺毕给则贤，巧文辩慧则贤，强毅果敢则贤，如是而甚不仁。夫以其五贤陵人，而以不仁行之，其谁能待之？若果立瑶也，智宗必灭。"弗听，智果别族①于太史，为辅氏。赵简子之子，长曰伯鲁，幼曰无恤。将置后，不知所立。乃书训戒之辞于二简，以授二子曰："谨识之！"三年而问之，伯鲁不能举其辞，求其简，已失之矣。问无恤，诵其辞甚习，求其简，出诸袖中而奏之。于是简子以无恤为贤，立以为后。简子使尹铎②为晋阳，请曰："以为茧丝③乎？抑为保障④乎？"简子曰："保障哉！"尹铎损其户数。

【注释】

①别族：从智氏宗族分出，另立族姓。

②尹铎（duó）：少昊的后裔，晋卿赵鞅的家臣。

③茧丝：指敛取人民的财物像抽丝一样，直到抽干为止。

④保障：指待民宽厚。

【译文】

周威烈王二十三年（前403）……开始时，智宣子想要立智瑶为帝位的继承者。宗族之人智果说："若要挑选继承者，智瑶不如智宵。因为智瑶身上有五点贤能之处，却有一点不足。他的贤能之处，主要表现在以下几点：第一，身材魁梧，英姿潇洒；第二，驾车有力，善于骑射；第三，能力出众，才艺超群；第四，能言善辩，文笔出众；第五，坚强勇敢，做事果决。虽然具备这些贤能，但他没有君主所应该具备的仁德之心。如果他使用这五贤操控他人，却唯独使用这不仁之心做事情，又有谁能承受得了呢？倘若一定要将智瑶立为继承人，那么智氏宗族一定会招来灭门之祸。"智宣子不听智果的话，智果便请求离开智族，另立辅姓。赵国大夫赵简子的长子名伯鲁，次子名无恤。对于继承人的问题，赵简子总是迟疑不定，不知道如何是好，于是他将日常训诫的话写在两片竹简上面，分别交到两个儿子手里，并且嘱咐说："一定要用心记住这些话！"过了三年，赵简子让两个儿子说出竹简上的内容。长子伯鲁回答不出来，赵简子便让他拿出竹简，可他说竹简不知道丢到哪里了。赵简子又问次子无恤，他则非常娴熟地背出了竹简上的话，问他竹简在哪里，他立刻从袖子里面拿了出来。赵简子认为无恤更加贤能，便将他立为自己的继承人。赵简子派尹铎去管理晋阳，尹铎说："大王，您是让我前去剥削百姓，聚敛财富，还是让我将那里建设为一道保障呢？"赵简子说："自然是保障了。"尹铎便整理相关户籍，减少税户，以此减轻百姓的负担。

【原文】

简子谓无恤曰："晋国有难，而无以尹铎为少，无以晋阳为远，必以为归。"及智宣子卒，智襄子为政，与韩康子、魏桓子宴于蓝台。智伯戏康子而侮段规。智果闻之，谏曰："主不备，难必至矣！"智伯曰："难将由我。我不为难，谁敢兴之？"对曰："不然。《夏书》有之曰：'一人三失，怨岂在明，不见是图。'夫君子能勤小物，故无大患。今主一宴而耻人之君相，又弗备，曰'不敢兴难'，无乃不可乎！蚋[①]、蚁、蜂、虿[②]，皆能害人，况君相乎！"弗听。

【注释】

①蚋（ruì）：同"蚋"，成虫形似蝇而小，黑色，俗称"黑蝇"。

②虿（chài）：蛇、蝎类毒虫的古称。

【译文】

赵简子对无恤说："如果某一天晋国不幸发生动荡，你不要因为尹铎的地位卑贱而对他产生嫌隙，也不要因为晋阳地方偏远而不进行治理，而要以尹铎管辖的晋阳作为屏障。"待到智宣子死后，智襄子智瑶即位。有一次，他邀请韩康子、魏桓子二人在蓝台宴饮。宴饮之际，智襄子对韩康子和段规百般戏弄、侮辱。智果知道这件事情之后，就劝告智瑶说："主公，您如果不加防范，灾祸必定会降临啊！"智瑶说："天下人的生死都攥在我的手里，我不降祸于别人，谁还敢放肆？"智果说："只怕事情并不如您说的这样。《夏书》中有这样一句话：'一个人总是犯错，人们的怨恨会积压在心里，并不会表露在外面，所以要在他还没有表现出来的时候防范。'贤能之人需要在小事上心存戒心，才可以避免大祸的发生。现在，主公您在一次宴会上就把别人得罪了，却又不加以防备，还说别人没有胆量加害于您，这只怕是不可以的！蚊子、蚂蚁、蜜蜂、蝎子都可以害人，更何况是国君、国相呢！"智瑶不听执意如此。

【原文】

智伯请地于韩康子，康子欲弗与。段规曰："智伯好利而愎[1]，不与，将伐我；不如与之。彼狃于得地，必请于他人；他人不与，必向之以兵。然后我得免于患而待事之变矣。"康子曰："善"。使使者致万家之邑于智伯，智伯悦。又求地于魏桓子，桓子欲弗与。任章曰："何故弗与？"桓子曰："无故索地，故弗与。"任章曰："无故索地，诸大夫必惧；吾与之地，智伯必骄。彼骄而轻敌，此惧而相亲。以相亲之兵待轻敌之人，智氏之命必不长矣。《周书》曰：'将欲败之，必姑辅之；将欲取之，必姑与之。'主不如与之，以骄智伯，然后可以择交而图智氏矣。奈何独以吾为智氏质乎！"

桓子曰："善。"复与之万家之邑一。智伯又求蔡、皋狼之地于赵襄子，襄子弗与。智伯怒，帅韩、魏之甲以攻赵氏。襄子将出，曰："吾何走乎？"从者曰："长子近，且城厚完。"襄子曰："民罢力以完之，又毙死以守之，其谁与我！"从者曰："邯郸之仓库实。"襄子曰："浚民之膏泽以实之，又因而杀之，其谁与我！其晋阳乎，先主之所属也，尹铎之所宽也，民必和矣。"乃走晋阳。

【注释】

①好利而愎：形容人贪财好利，刚愎自用。愎，固执，任性。

【译文】

智瑶让韩康子割地给他，韩康子想要拒绝。段规劝说："智瑶这个人一向贪得无厌、独断专行，倘若我们不答应割地给他，他一定会借此机会征讨我们，倒不如答应。他得到土地之后，必定会更加狂妄，进而再强迫别人；别人如果不给，他一定会举兵讨伐。如此一来，我们就可以避开祸端而见机行事了。”韩康子说：“好主意。”于是派遣使臣去见智瑶，把土地给了他。智瑶得到土地之后非常高兴，果然又要求魏桓子割地给他。魏桓子想要拒绝，但是任章说：“大王为什么不把土地给他呢？”魏桓子说：“他要地毫无缘由，所以不给他。”任章说：“智瑶无缘无故地索要他人的土地，一定会招致其他国家的怨恨，我们答应他，他一定会因此沾沾自喜，轻视敌人，而我们因为惧怕必定会更加团结。用团结的国家来应对自负的智瑶，智氏的命数也就不会长久了。《周书》说：‘想要打败敌人，就一定要先听从于他；想要夺取别人的利益，就要先给他一些好处。’主公倒不如先答应智瑶，借此来助长智瑶的骄横，之后我们就可以寻找盟友一起对付智氏，何必要单独成为智瑶的攻击目标呢！”

魏桓子说：“好。”于是也将土地给了智瑶。智瑶又向赵襄子索要蔡、皋狼等地方。赵襄子不答应。智瑶因此大怒，遂率领韩、魏的军队对赵氏发起猛烈进攻。赵襄子决定外出避难，问道：“我应该到哪里去呢？”随从建议：“去长子城吧，那里距离这里最近，而且城墙最为完整坚固。”赵襄子说：“百姓历尽千辛万苦才将城墙修好，现在又要他们出生入死为我守御，谁能够与我同心呢？”随从又说：“邯郸城的仓库充实，大王不妨去那里。”赵襄子说：“国库之所以充实都是剥削百姓来的，现在又因为战乱而让无辜的百姓送命，他们又怎么能够与我同心呢？还是去晋阳吧，那是先主的地方，那儿的尹铎为人宽厚，善待百姓，所以百姓必定会与我们共进退的。”于是，赵襄子逃往晋阳。

【原文】

三家以国人围而灌之，城不浸者三版；沉灶产蛙，民无叛意。智伯行水，魏桓子御，韩康子骖乘①。智伯曰：“吾乃今知水可以亡人国也。”桓子肘康子，康子履桓子之跗，以汾水可以灌安邑，绛水可以灌平阳也。絺疵②谓智伯曰：“韩、魏必反矣。”智伯曰：“子何以知之？”絺疵曰：“以人事知之。夫从韩、魏之兵以攻赵，赵亡，难必及韩、魏矣。今约胜赵而三分其地，城不没者三版，人马相食，城降有日，而二子无喜志，有忧色，是非反而何？”

明日，智伯以絺疵之言告二子，二子曰：“此夫谗臣欲为赵氏游说，使主疑于二家而懈于攻赵氏也。不然，夫二家岂不利朝夕分赵氏之田，而欲为危难不可成之事乎！”二子出，絺疵入曰：“主何以臣之言告二子也？”智伯曰：“子何以知之？”对曰：“臣见其视臣端而趋疾，知臣得其情故也。”智伯不悛③。絺疵请使于齐。

赵襄子使张孟谈潜出见二子，曰：“臣闻唇亡则齿寒。今智伯帅韩、魏而攻赵，赵亡则韩、魏为之次矣。”二子曰：“我心知其然也，恐事未遂而谋泄，则祸立至矣。”张孟谈曰：“谋出二主之口，入臣之耳，何伤也？”二子乃潜与张孟谈约，为之期日而遣之。襄子夜使人杀守堤之吏，而决水灌智伯军。智伯军救水而乱，韩、魏翼而击之，襄子将卒犯其前，大败智伯之众。遂杀智伯，尽灭智氏之族。唯辅果在。

【注释】

①骖（cān）乘：又作“参乘”，陪乘或陪乘的人。

②絺疵（cī）：春秋时晋国人，善于谋略。当时，晋国四卿掌国，分

别为智、韩、魏、赵四氏。絺疵为智瑶的谋士，献计削弱赵、魏、韩三家，从而使智氏一家独大。后智伯联合韩、魏共同攻击赵襄子，絺疵断言韩、魏必反，将联合赵襄子集三方之力攻击智氏，而智伯不信，后果如其言，智伯中诈兵败身亡。而絺疵见智伯不听己言，遂请求出使齐国避祸。

③悛（quān）：悔改。

【译文】

智瑶、韩康子、魏桓子三家联合起来围困晋阳，将水灌入城中，只差三版之处没有被水淹没；锅灶浸塌，灶中生出蛤蟆，百姓却无一背叛。智瑶坐车来回巡视着水势，魏桓子在前面驾车，韩康子在右侧持矛护卫。智瑶说：“我直到今天才知道，原来水能够灭国啊！”魏桓子用手臂碰了一下韩康子，韩康子踩了一下魏桓子的脚。因为汾水能够淹没魏国的都城，绛水也可以淹没韩国的都城！智家的谋士絺疵对智瑶说：“韩、魏两家一定会反叛。”智瑶问：“你又是怎么知道的呢？”絺疵说：“这是人之常情。我们调集韩、魏两国的军队来围攻赵国，赵国灭亡之后，灾祸必然会降临到韩、魏两国头上。我们不如约定消灭赵国之后，三家将其地分割。现在，晋阳城仅差六尺就被水淹没了，城中的粮食已经用尽，百姓已经在宰马为食了，如此，破城只是早晚的事情。可即便如此，这两人的脸上不但没有喜悦之色，反倒心生忧虑。这不是要反叛又是什么呢？”

第二天，智瑶将絺疵的话告诉了韩、魏两国国君。二人齐声说道：“这必然是小人想要为赵国说情，让主公怀疑我们，进而放松对赵国的进攻。不然，我们两家怎么会放弃迟早都会得到的赵国土地，而去做那样危险又没有胜算的事情呢？”他们二人走了之后，绨疵进来，张口就问：“主公，你为何将臣的话泄露给他们两个人呢？”智瑶问：“你又是怎么知道的？”绨疵说：“刚才他们二人见到我，上下打量了一番，然后行色匆匆地离开了，由此可见，他们已经知道臣的心思了。”智瑶不听绨疵的劝告，依然不肯改变主张。绨疵见到这种情景，就只好请求智瑶让他出使齐国。赵襄子派遣张孟谈偷偷出城，秘密会见韩、魏二人，说道：“我听说过唇亡则齿寒的道理。如今，智瑶率领韩、魏两国进攻赵国，赵国灭亡后，就该轮到你们了。”韩康子、魏桓子说：“我们也知道是这样的，怕就怕计划还没有实施就泄露了，那时我们就要大祸临头了。”张孟谈说：“计谋是两位主公想出来的，只进入我一个人的耳朵，又有什么可担心的呢？”于是两人暗地里与张孟谈商讨，约定好起事的时间，然后就送他回城了。这天夜里，赵襄子让人秘密地将守堤官吏杀死，让大水灌入智瑶的大营。智瑶军队为救水患而乱作一团，韩、魏两军借此机会从两侧杀入，赵襄子率领军队从正面进攻，大败智瑶的军队，并斩杀了智瑶，而后又将智氏族人全部诛杀。只有辅果一家得以幸免。

商鞅变法

【原文】

孝公令国中曰：“昔我穆公，自岐、雍之间修德行武，东平晋乱，以河[①]为界，西霸戎翟，广地千里，天子致伯，诸侯毕贺，为后世开业甚光美。会往者厉、躁、简公、出子之不宁，国家内忧，未遑[②]外事。三晋攻夺我先君河西地，丑莫大焉。献公即位，镇抚边境，徙治栎阳，且欲东伐，复穆公之故地，修穆公之政令。寡人思念先君之意，常痛于心。宾客群臣有能出奇计强[3]秦者，吾且尊官，与之分土。”于是卫公孙鞅闻是令下，乃西入秦。

【注释】

①河：指黄河。

②遑（huáng）：闲暇。

③强：这里“强”为动词，意为使……强。

【译文】

秦孝公在国中下令说：“当年，秦穆公在岐山、雍地大刀阔斧、励精图治，向东平定晋国之乱，以黄河为界，划定国土边界，向西称雄于戎、翟等族，占地千里，因此备受周王器重，各诸侯国也纷纷祝贺，所开辟的基业多么伟大啊，只是之后的厉公、躁公、简公及出子让国内的矛盾逐渐激化，国家内部有忧患，因此才没有时间处理与别国的事情。魏、赵、韩三国也乘机夺走了先王开辟的疆土，这真是天大的耻辱啊！献公登基之后，率兵平复了边境战事，将都城迁到栎阳并且亲自前往治理，而且还打算向东方征讨，收复穆公时的旧地，恢复秦穆公时的政令。我只要一想到先王还有心愿没来得及完成，就感到痛心疾首。如今宾客群臣当中谁能够献上计谋，让秦国强大兴盛起来，我就对他任以高官，封以土地。”卫国的公孙鞅听到这个消息之后，就来到了秦国。

【原文】

公孙鞅者，卫之庶孙也，好刑名之学。事魏相公叔痤，痤知其贤，未及进。会病，魏惠王往问之曰：“公叔病如有不可讳，将奈社稷何？”公叔曰：“痤之中庶子卫鞅，年虽少，有奇才，愿君举国而听之！”王嘿然。公叔曰：“君即不听用鞅，必杀之，无令出境。”王许诺而去。公叔召鞅谢曰：“吾先君而后臣，故先为君谋，后以告子。子必速行矣！”鞅曰：“君不能用子之言任臣，又安能用子之言杀臣乎？”卒不去。王出，谓左右曰：“公叔病甚，悲乎！欲令寡人以国听卫鞅也，既又劝寡人杀之，岂不悖哉！”

卫鞅既至秦，因嬖臣[1]景监以求见孝公，说以富国强兵之术。公大悦，与议国事。

【注释】

①嬖（bì）臣：受宠的近臣。

【译文】

公孙鞅是卫国国君的庶子，平时喜欢钻研法家刑名的学说。在之前侍奉魏国国相公叔痤，公叔痤虽然知道他是一个有才能的人，但还未来得及向国君推荐他。公叔痤病重，魏惠王来到公叔痤的府邸看望他，魏惠王问：“倘若您不能再辅佐我，国家大事应该交给谁来处理呢？”公叔痤说：“你可以交给公孙鞅，不要看他年纪小，却是一个不可多得的人才，我希望君主可以将国家事务交给他处理，希望君主可以信任他！”魏惠王没有说什么。公叔痤接着说：“如果您不接受我的意见重用公孙鞅的话，就一定要杀死他，不要让他离开。”魏惠王答应之后就离开了。公叔痤又将公孙鞅叫到身边，说：“身为臣子，我首先要忠于我的君主，然后才能扶持属下，所以要先辅助君主，然后再把事情的经过告诉你。我刚才建议惠帝将你杀了，所以你还是赶快逃走吧！”公孙鞅回答：“既然国君不听从您的建议重用于我，又怎么会听从您的建议杀掉我呢？”所以他没有逃走。魏惠王从公叔痤的府邸离开之后，对别人说："公叔痤真的是病糊涂了，真是悲哀啊！他先是希望我将国家大事交给公孙鞅治理，可又劝说我杀了他，如此说话难道不是前后矛盾吗？"

公孙鞅来到秦国之后，在秦王宠臣景监的引荐下见到了秦孝公，并向秦孝公说出了富国强兵的办法。孝公听后大喜，便和他一同讨论国家大事。

【原文】

卫鞅欲变法，秦人不悦。卫鞅言于秦孝公曰："夫民不可与虑始，而可与乐成。论至德者不和于俗，成大功者不谋于众。是以圣人苟可以强国，不法其故。[①]"甘龙曰："不然。缘[②]法而治者，吏习而民安之。"卫鞅曰："常人安于故俗，学者溺于所闻，以此两者，居官守法可也，非所与论于法之外也。智者作法，愚者制焉；贤者更礼，不肖者拘焉。[③]"公曰："善。"以卫鞅为左庶长，卒定变法之令。

令民为什伍而相收司、连坐，告奸者与斩敌首同赏，不告奸者与降敌同罚。有军功者，各以率受上爵；为私斗者，各以轻重被刑大小。僇[④]力本业，耕织致粟帛多者，复其身。事末利及怠而贫者，举以为收孥[⑤]。宗室非有军功论，不得为属籍。明尊卑爵秩等级，各以差次名田宅、臣妾、衣服。有功者显荣，无功者虽富无所芬华。

【注释】

①"夫民不可与虑始"一句：与自己的臣民，不能想着开创事业，只能分享事业成功后的喜悦。高尚的人没有必要附和世俗的观念，想要建功立业也不必和民众进行商讨。所以圣贤之人，只要能够让国家富强、百姓安泰，就不需要拘泥于传统的旧思想。

②缘：根据。

③“智者作法，愚者制焉”一句：聪明的人制定法规政策，愚笨的人只会循规蹈矩；贤德的人因时制宜，无能的人只会墨守成规。

④僇（lù）：勉力。

⑤孥（nú）：奴隶。

【译文】

商鞅想要实行变法改革，但是很多秦国人都不同意。商鞅对秦孝公说：“与自己的臣民，不能想着开创事业，只能分享事业成功后的喜悦。高尚的人没有必要附和世俗的观念，想要建功立业也不必和民众进行商讨。所以圣贤之人，只要能够让国家富强、百姓安泰，就不需要拘泥于传统的旧思想。”大夫甘龙不以为然，说道：“这是不对的。依照过去的规章制度办事，官员才能够熟练自如，百姓才可以安居乐业。”商鞅说：“在普通人眼中，遵守古老的传统才是正道，而学者们常常受到所学知识的限制。这两种人只适合做官守法，想要与他们讨论开创新业的事，是不可能的。聪明人制定法规政策，愚笨的人只会循规蹈矩；贤德的人因时制宜，无能的人只会墨守成规。”秦孝公说：“讲得太好了。”于是任命商鞅为左庶长，主要负责新律法的制定。

商鞅下令对百姓进行整编，通常五家一伍、十家一什，户与户之间相互监督，如果有人犯法就要集体受罚。对奸邪之人进行举报的，能够获得如杀敌立功者一样的赏赐与待遇；知道犯罪却隐瞒不报的人，将会获得如临阵降敌者一样的处罚；立下战功的人，能得到上等的爵位；私底下打架斗殴的人，根据情节的轻重给予不同的刑罚；努力劳作，耕作纺织而使粮食布帛增多的人，就能够免除自身徭役；因懒惰而贫困的人，全家都会被充为奴隶；皇亲国戚没有得到军功的，不可再享有贵族的地位；确立官阶等级，并由国家统一分配田地房宅、奴仆侍女、衣饰器物等。让有功劳的人享受尊荣，让没有立功的人即便富有也不光彩。

【原文】

令既具未布，恐民之不信，乃立三丈之木于国都市南门，募民有能徙置北门者予十金。民怪之，莫敢徙。复曰："能徙者予五十金！"有一人徙之，辄[1]予五十金。乃下令。令行期年，秦民之国都言新令之不便者以千数。于是太子犯法。卫鞅曰："法之不行，自上犯之。"太子，君嗣也，不可施刑。刑其傅公子虔，黥其师公孙贾。明日，秦人皆趋令。行之十年，秦国道不拾遗，山无盗贼，民勇于公战，怯于私斗，乡邑大治。秦民初言令不便者，有来言令便。卫鞅曰："此皆乱法之民也！"尽迁之于边。其后民莫敢议令。

【注释】

①辄：立即。

【译文】

详细的法令虽然已经制定出来，但是商鞅并没有公布，这是因为商鞅担心百姓会心存疑惑，甚至不相信此法的公正性，于是他在都城的南门立了一根三丈的木头，并且下令说，不管是谁，只要可以将这根木头搬到北门，就赏赐他十金。百姓认为这件事很奇怪，谁都不敢动。商鞅又下令说："可以把这根木头搬到北门的，官府就赏赐给他五十金！"后来，终于有个人鼓起勇气把木头搬了过去，商鞅立即将五十金赏赐给了他。此时，商鞅才将法令颁布出来。在实行法令的一年之内，秦国的数千百姓都在说新法不好的地方。正在此时，太子触犯了法令，商鞅说："新法在实施的过程中之所以不顺畅，关键在于上层人物不遵守法律。"太子作为帝位的继承者，不可以施以刑罚，就处罚了他的老师公子虔，还在另一个老师公孙贾的脸上刻字，以此作为惩戒。第二天，秦国上下都知道了这件事情，从此之后，每个人都小心翼翼地遵守法令。在新法施行的十年中，秦国被治理得非常好，可以称得上是路不拾遗、山无盗贼，人民争相为国作战，不敢为私利斗殴，乡村得到了很好的治理。就连当初说新法不便的人都改口称好。商鞅说："他们都是扰乱法律的小民！"于是将他们全部发配到边疆。从此之后，臣民再也不敢议论法令的是非了。

【原文】

卫鞅言于秦孝公曰："秦之与魏，譬若人之有腹心之疾，非魏并秦，秦即并魏。何者？魏居岭阨之西，都安邑，与秦界河，而独擅山东之利，利则西侵秦，病则东收地。今以君之贤圣，国赖以盛；而魏往年大破于齐，诸侯畔之，可因此时伐魏。魏不支秦，必东徙。然后秦据河、山之固，东乡以制诸侯，此帝王之业[①]也。"公从之，使卫鞅将兵伐魏。魏使公子卬将而御之。

【注释】

①帝王之业：这里指称霸大业。

【译文】

商鞅对秦孝公说："秦国与魏国的关系，就好比是人有了心腹大患一般，不是魏国吞并秦国，就是秦国吞并魏国。为何这样说呢？因为魏国东侧有高山为依，并以安邑作为都城，正好与秦国隔黄河相对，独占崤山以东的地势。它在强盛的时候就向西侵略秦国，衰落的时候就向东撤退以求保全自身。如今，秦国在您的贤明带领下，国势日渐强盛，而魏国去年大破齐国，其他诸侯国都远离了它，我们正好可以借此机会攻伐魏国。魏国抵抗不住，一定会向东撤退。那时，秦国就轻而易举地占据了黄河、崤山等险要之地，如此制伏东面各诸侯国就容易多了，奠定称霸大业也就指日可待了。”秦孝公听从了卫鞅的建议，派他率兵攻打魏国。魏国派公子卬为将军前来迎击。

【原文】

军既相距，卫鞅遗①公子卬书曰：“吾始与公子欢；今俱为两国将，不忍相攻，可与公子面相见盟，乐饮而罢兵，以安秦、魏之民。”公子卬以为然，乃相与会。盟已，饮。而卫鞅伏甲士，袭虏公子卬，因攻魏师，大破之。

魏惠王恐，使使献河西之地于秦以和。因去安邑，徙都大梁。乃叹曰：“吾恨不用②公叔之言！”秦封卫鞅商于十五邑，号曰商君。

秦孝公薨，子惠文王立，公子虔之徒告商君欲反，发吏捕之。商君亡之魏。魏人不受③，复内之秦。商君乃与其徒之商於，发兵北击郑。秦人攻商君，杀之，车裂以徇，尽灭其家。

【注释】

①遗：给。

②用：听从。

③受：接受，接纳。

【译文】

两军交战，商鞅派人给公子卬送信，信中写道：“当年，我和公子的交情非常好，现在都成了两军大将。我实在不愿意见到我们兄弟之间相互残杀的局面，所以想要与你私下见面，然后立下盟约之好，畅饮之后双方都撤兵回国，使秦国、魏国两国百姓就此安心。”公子卬真的相信了商鞅的话，于是前来赴约。两方盟誓结束，正在饮酒之时，商鞅示意让事先埋伏好的伏兵冲了进来，将公子卬捉拿，又乘机对魏军发起攻击，让其大败而回。

魏惠王得知失败的消息之后，极为惊恐，派人将黄河以西之地献给秦国以讲和。之后，他逃离了安邑，将都城迁到大梁。这时，他才深感懊悔，并说道：“我真的后悔当初没有听公叔痤的话！”商鞅立下战功，秦王将商、於等地的十五座城池赏给了卫鞅，封号为商君。

秦孝公死后，他的儿子即位，为秦惠文王。因为公子虔的门下密告商鞅有谋反之心，秦惠文王就派人前去捉拿商鞅。商鞅急急忙忙逃往魏国，魏国人不接纳他，又将他送回了秦国。商鞅在无奈之下只好和他的属下一同来到商、於，并起兵对北边的郑国发起攻击。而此时，秦国军队也对商鞅发起了猛烈进攻，将他杀死后并施以车裂之刑，他全家老少都没能逃过此劫。

围魏救赵

【原文】

初，孙膑与庞涓俱学兵法。庞涓仕魏为将军，自以能不及孙膑，乃召之；至，则以法断其两足而黥[①]之，欲使终身废弃。齐使者至魏，孙膑以刑徒阴见，说齐使者。齐使者窃载与之齐。田忌善而客待之，进于威王。威王问兵法，遂以为师。于是威王谋救赵，以孙膑为将，辞以刑余之人不可。乃以田忌为将而孙子为师，居辎车中，坐为计谋。

田忌欲引兵之赵。孙子曰："夫解杂乱纷纠者不控拳，救斗者不搏撠[2]，批亢捣虚，形格势禁，则自为解耳。今梁、赵相攻，轻兵锐卒必竭于外，老弱疲于内，子不若引兵疾走魏都，据其街路，冲其方虚，彼必释赵以自救。是我一举解赵之围而收弊于魏也。"田忌从之。十月，邯郸降魏。魏师还，与齐战于桂陵，魏师大败。

【注释】

①黥：在脸上刺字并涂黑的一种刑罚。

②撠（jǐ）：抓住。

【译文】

当初，孙膑与庞涓一同研究和学习兵法。后来，庞涓来到魏国成了将军，他知道自己在学识和才能上都不是孙膑的对手，所以将孙膑引到了魏国。孙膑刚到魏国，庞涓就设下陷阱砍掉了孙膑的双脚，还在孙膑的脸上刺字，想要让孙膑一辈子成为废人。后来，齐国使者来到魏国，孙膑以受刑戴罪人的身份偷偷与齐国使者见面，齐国使者被孙膑的一番肺腑之言感动，便将孙膑藏到车上带回了齐国。齐国的名将田忌把他视为上宾，后来又将他介绍到齐威王身边。威王很欣赏孙膑的才能，时常与他讨论兵法，让他担任自己的老师。此时，齐威王想要出兵营救赵国，就任命孙膑为大将，孙膑以自己残疾为由坚决拒绝，齐威王便改立田忌为大将，孙膑为军师，让他坐在车上，出谋划策。

就在田忌即将带兵前往赵国的时候，孙膑说："想要排解双方之间的争斗，不可以用拳脚，更不能出手帮助其中一方，只可以因势利导，攻打它虚弱的地方，才会让目前禁锢的情势得到解除。现在两国的战争如此激烈，势必会竭尽全力，倾巢而动，国内只留下一些老弱妇孺。您不如先率领军队对魏国的都邑发动进攻，冲击魏国空虚的后方，魏军听到消息之后必然会停止攻打赵国而率军回援。这样一来，我们不仅解除了赵国之围，还给了魏国痛击。”田忌按照孙膑的计划一步步进行。这一年十月，赵国邯郸被魏国攻破。而魏军又要援救都城，在桂陵与齐国军队展开了激烈的斗争，最终魏军狼狈溃散。

【原文】

魏庞涓伐韩。韩请救于齐。齐威王召大臣而谋曰：“蚤[①]救孰与晚救？”成侯曰：“不如勿救。”田忌曰：“弗救则韩且折而入于魏，不如蚤救之。”孙膑曰：“夫韩、魏之兵未弊而救之，是吾代韩受魏之兵，顾反听命于韩也。且魏有破国之志，韩见亡，必东面而诉于齐矣。吾因深结韩之亲而晚承魏之弊，则可受重利而得尊名也。”王曰：“善！”乃阴许韩使而遣之。韩因恃齐，五战不胜，而东委国于齐。

【注释】

①蚤：同“早”。

【译文】

魏国大将庞涓带兵攻打韩国，韩国求助于齐国。齐威王将大臣们召集到一起，商讨说：“在援救韩国这件事情上，你们觉得是早好还是晚好呢？”成侯邹忌说道：“早晚都不好，倒不如不救好。”田忌不同意邹忌的看法，说：“倘若我们不管的话，韩国一定会在很短的时间之内被魏国吞并。还是早点出兵救援比较好。”孙膑却说：“现在，韩、魏两国的厮杀正处于激烈的时候，如果这个时候我们前去救援，实际上是代替韩国接受魏国的打击，反倒让别人觉得我们听从于韩国。这次魏国是抱着要将韩国吞并的决心出战的，等到韩国感到灭亡已经快要降临的时候，一定会再请求齐国，到那时我们再出兵救援，一来能够让我们与韩国的关系更加友好，二来可以借此机会给魏国以沉重打击，可谓一石二鸟，名利兼收啊。”齐威王说：“你说的正合我意！”于是齐国一方面答应了韩国的请求，一方面又迟迟不发兵。韩国因为得到了齐国的允诺，士气大振，奋力抵抗，可是经过五次大战都以失败告终，在逼不得已的情况下，只好将全部的希望都寄托在齐国身上。

【原文】

齐因起兵，使[1]田忌、田婴、田盼将之，孙子为师，以救韩，直走魏都。庞涓闻之，去韩而归。魏人大发兵，以太子申为将，以御齐师。孙子谓田忌曰：“彼三晋之兵素悍勇而轻齐，齐号为怯。善战者因其势而利导之。”《兵法》：“百里而趣利者蹶上将，五十里而趣利者军半至。”乃使齐军入魏地为十万灶，明日为五万灶，又明日为二万灶。庞涓行三日，大喜曰：“我固知齐军怯，入吾地三日，士卒亡者[2]过半矣！”乃弃其步军，与其轻锐倍日并行逐之。孙子度[3]其行，暮当至马陵，马陵道狭而旁多阻隘，可伏兵。乃斫[4]大树，白而书之曰：“庞涓死此树下！”于是令齐师善射者万弩夹道而伏，期日暮见火举而俱发。庞涓果夜到斫木下，见白书，以火烛之，读未毕，万弩俱发，魏师大乱相失。庞涓自知智穷兵败，乃自刭，曰：“遂成竖子之名！”齐因乘胜大破魏师，虏太子申。

【注释】

①使：任命。

②亡者：这里指逃跑的士兵。

③度：推测。

④斫（zhuó）：剥，砍。

【译文】

齐国看准时机，决定发兵，齐威王任命田忌、田婴、田盼为将军，孙膑为军师，前往韩国进行救援，他们依然采用之前的方式，直接进攻魏国的都邑。庞涓听到消息后，立刻停止对韩国的进攻，挥兵回国营救国都。魏国将兵力集中起来由太子申统一带领，奋力抵抗齐兵。孙膑对田忌说：“魏、赵、韩一带的士兵向来彪悍，且不将齐国的士兵放在眼里，号称齐国士兵非常怯懦。一个善战的将军要懂得因势利导。”《孙武兵法》中说从一百里外去奔袭会损失上将，从五十里外奔袭只能到达一半的军队。于是，下令让齐国的军队进入魏国境内后，先修好十万个灶做饭，第二天减掉五万个，第三天再减掉三万个。庞涓率领军队连续追击齐军三天，见到这种情况，非常高兴，说道：“我早就得知齐兵生性怯懦，进入我国国境才短短三天，就已经逃亡过半了。”于是庞涓丢掉了步兵，独自一人率领精锐部队马不停蹄地追击齐军。孙膑算计着魏军应该在当晚就能抵达马陵。马陵道路狭窄，关隘口多，是伏兵的最佳地点，孙膑于是派人砍剥大树，并在树干上写道：“庞涓死于此树下！”又在齐国军队当中挑选出一些优秀的弓箭手埋伏在此，相约在天黑之后看到亮光就一同射箭。果不其然，庞涓真的在半夜的时候来到这棵树下，看到那树上隐约可见的几个字，就让人拿过火把来照明，还没有读完，就看到两侧箭如雨下，魏军顿时慌了，到处逃窜。庞涓知道自己智谋穷尽，逃不掉兵败的命运，就决定自刎。在自刎之前，庞涓道：“到底我还是不如孙膑，最后还是成全了他的名声啊！”齐军乘机一举击溃魏军，并将魏国大将太子申俘虏了。

毛遂自荐

【原文】

赵王使平原君求救于楚，平原君约其门下食客文武备具者二十人与之俱，得十九人，余无可取者。毛遂自荐于平原君。平原君曰："夫贤士之处世也，譬若锥之处囊中，其末立见。今先生处胜之门下三年于此矣，左右未有所称诵，胜未有所闻，是先生无所有也。先生不能，先生留！"毛遂曰："臣乃今日请处囊中耳！使遂蚤得处囊中，乃颖[1]脱而出，非特其末见而已。"平原君乃与之俱，十九人相与目笑之。平原君至楚，与楚王言合从之利害，日出而言之，日中不决。毛遂按剑历阶而上，谓平原君曰："从之利害，两言而决耳！今日出而言，日中不决，何也？"楚王怒叱曰："胡不下！吾乃与而君言，汝何为者也！"

【注释】

①颖：某些细长东西的尖锐部分。

【译文】

赵王派遣平原君到楚国求援，平原君本想集合门下文武双全的门客二十人同行，但是只挑选了十九个人，其他的人都不足取。就在这时，毛遂从人群中走了出来，并进行自我推荐。平原君说："一个人的才干就像将锥子放在袋子里，它的尖锐早已暴露出来，被人们察觉了。如今，你在我的门下已经有三年时间，而周围的人从没有夸赞过你，我也从来没听说你有什么才能。这说明你是一个无能之人。先生没有什么才干，所以还是留下吧！"毛遂说："那请您不妨今天将我放到袋子里去！假如您早一些将我放到袋子里，我的才能早就显露出来了。”平原君于是决定带他一起去，其他的十九个人都嘲笑他。平原君带人来到楚国，和楚王谈论合纵的利弊，谈了一天，也没能谈出个结果。于是毛遂手按长剑，迈步登上台阶，对平原君说：“合纵的好与坏，两句话就能讲明白了，可是现在从日出一直谈到中午都没有结果，这究竟是为什么呢？”楚王瞪着眼睛大声怒斥道：“还不立刻下去！我正在与你的主人商谈，你来做什么！”

【原文】

毛遂按剑而前曰：“王之所以叱遂者，以楚国之众也。今十步之内，王不得恃楚国之众也！王之命悬于遂手。吾君在前。叱者何也？且遂闻汤以七十里之地王天下，文王以百里之壤而臣诸侯，岂其士卒多哉？诚能据其势而奋其威也。今楚地方五千里，持戟百万，此霸王之资也。以楚之强，天下弗能当。白起，小竖子耳，率数万之众，兴师以与楚战，一战而举鄢①、郢②，再战而烧夷陵，三战而辱王之先人，此百世之怨而赵之所羞，而王弗知恶焉。合从者为楚，非为赵也。吾君在前，叱者何也？”

楚王曰：“唯唯，诚若先生之言，谨奉社稷以从。”毛遂曰：“从定乎？”楚王曰：“定矣。”毛遂谓楚王之左右曰：“取鸡、狗、马之血来！”毛遂奉铜盘而跪进之楚王曰：“王当歃血以定从，次者吾君，次者遂。”遂定从于殿上。毛遂左手持盘血而右手招十九人曰：“公相与歃此血于堂下！公等录录，所谓因人成事者也。”平原君已定从而归，至于赵，曰：“胜不敢复相天下士矣！”遂以毛遂为上客。

【注释】

①鄢（yān）：春秋莒邑。又名鄢陵、安陵。

②郢（yǐng）：春秋战国时楚国都城。

【译文】

毛遂按着长剑，上前说道："君主现在之所以这样训斥毛遂，无非就是因为楚国人多而已。现在在十步之内，大王您就无法依仗楚国人口众多的优势了。现在君主您的性命都攥在我的手里。我的主人在我的面前，你呵斥什么呢？我听说商汤只凭借七十里的土地就称王于天下，周文王只凭借百里的土地就称霸于诸侯。这难道也是仗着人多吗？说到底都是看准时机，发扬其威。如今，楚国的领土有五千里之多，国内拥有百万士兵，这些都是称霸天下的本钱。以楚国的强大，天下只怕没有谁敢与您抗衡。可是现在白起敢率领几万兵马，领兵与楚国作对，只一战就攻克了楚国的鄢、郢，继而烧毁了楚国的夷陵与宗庙，三战还侮辱了君王您的先人，这是百世的怨仇，连赵国都为之感到羞辱，而君王您却没有羞恶之心。此次合纵的主要受益方是楚国，并非赵国。我的主人现在在我面前，你呵斥什么？"

楚王说："先生说的是，诚如先生所说，我应该谨奉社稷之道而立下盟约。"毛遂说："您真的决定合纵了吗？"楚王说："决定了。"毛遂于是对楚国身边的人说："拿鸡、狗、马的鲜血来。"毛遂双手端着铜盘，然后下跪献给楚王，说："君王您应该歃血起誓订立盟约，然后是我的主人和我。"于是楚、赵两国就立好了约定。毛遂左手端着铜盘，右手又招呼十九个人说道："诸位不妨在堂下歃血吧！你们都是无能之辈，只是所谓的因人成事的人罢了。"平原君这一次合纵成功，返回赵国之后说："我从今天，再也不胡乱评论别人了！"随即将毛遂奉为上宾。

秦 纪

荆轲刺秦

【原文】

燕太子丹[1]怨王，欲报之，以问其傅鞠武[2]。鞠武请西约三晋，南连齐、楚，北媾[3]匈奴以图秦。太子曰："太傅之计，旷日弥久，令人心惛然[4]，恐不能须[5]也。"顷之，将军樊於期[6]得罪，亡之燕；太子受而舍之。鞠武谏曰："夫以秦王之暴而积怒于燕，足为寒心，又况闻樊将军之所在乎！是谓委肉当饿虎之蹊[7]也。愿太子疾遣樊将军入匈奴！"太子曰："樊将军穷困于天下，归身于丹，是固丹命卒之时也，愿更虑之！"鞠武曰："夫行危以求安，造祸以为福，计浅而怨深，乃连结一人之后交，不顾国家之大害，所谓资[8]怨而助祸矣。"太子不听。

【注释】

①太子丹：燕王喜的儿子，曾被送到秦国当人质，后因受冷遇，逃回燕国。荆轲刺秦失败后，秦国发兵攻燕，太子丹率部退保辽东，被燕王喜斩首，奉献秦国。

②鞠武：燕国太子丹的老师。

③媾（gòu）：求和。

④惛（hūn）然：神志不清。

⑤须：等待。

⑥樊於期：秦国将领，因为忤逆秦王的旨意获罪，后逃往燕。

⑦蹊（xī）：小路，小径。

⑧资：帮助，协助。

【译文】

燕太子丹对秦王嬴政恨之入骨，想要报复，因此求教于太傅鞠武。鞠武提出让燕国和西方的三晋，南方的齐、楚联合在一起，与此同时，和北方的匈奴结盟，一同对付秦国。太子丹说：“太傅谋划的事情，花费的时间太长，只怕我们没有那么多的时间。”不久，秦国将军樊於期因为得罪秦王逃亡到燕国，被太子丹收留。鞠武劝谏说：“秦王残暴，且与燕国积怨已久，这些就足以令人生畏，要是听说我们收留了樊於期，岂不真的成了人家口中说的那句话，把肉丢在了老虎经常出没的小路上。请太子立刻打发樊将军到匈奴那里去。”太子丹说：“樊将军穷困无助，才投奔到我们这里，此时正是我舍命保全他的时候，请您再考虑一下。”鞠武说：“做危险的事情以求得安定，制造祸端以求得福祉，用浅陋的方法解决怨恨，这些都是为了结交一个人而无视国家安危的事情，如此只会让两国的积怨越来越深，到最后必然会加速祸事的来临！”太子丹对于鞠武的建议置若罔闻。

【原文】

太子闻卫人荆轲①之贤，卑辞厚礼而请见之。谓轲曰：“今秦已虏韩王，又举兵南伐楚，北临赵；赵不能支秦，则祸必至于燕。燕小弱，数困于兵，何足以当秦？诸侯服秦，莫敢合从②。丹之私计愚，以为诚得天下之勇士使于秦，劫秦王，使悉反诸侯侵地，若曹沫之与齐桓公③，则大善矣；则不可，因而刺杀之。彼大将擅兵于外而内有乱，则君臣相疑，以其间，诸侯得合从，其破秦必矣。唯荆卿留意焉！”荆轲许之。于是舍荆卿于上舍，太子日造[4]门下，所以奉养荆轲，无所不至。及王翦灭赵，太子闻之惧，欲遣荆轲行。荆轲曰：“今行而无信，则秦未可亲也。诚得樊将军首与燕督亢[5]之地图，奉献秦王，秦王必说[6]见臣，臣乃有以报。”太子曰：“樊将军穷困来归丹，丹不忍也！”荆轲乃私见樊於期曰：“秦之遇将军，可谓深矣，父母宗族皆为戮没！今闻购将军首，金千斤，邑万家，将奈何？”於期太息流涕曰：“计将安出？”荆卿曰：“愿得将军之首以献秦王，秦王必喜而见臣，臣左手把其袖，右手揕[7]其胸，则将军之仇报而燕见陵之愧除矣！”樊於期曰：“此臣之日夜切齿腐心也！”遂自刎[8]。太子闻之，奔往伏哭，然已无奈何，遂以函[9]盛其首。太子豫求天下之利匕首，使工以药淬[10]之，以试人，血濡缕[11]，人无不立死者。乃装为遣荆轲，以燕勇士秦舞阳为之副，使入秦。

【注释】

①荆轲：战国末期卫人，卫人称为“庆卿”，后到燕国，被当地人称为荆卿。

②合从：“合纵”，这里代指联合。

③曹沫之与齐桓公：曹沫，鲁国人。齐桓公和鲁会盟，曹沫劫持了齐桓公，并逼迫他答应将侵夺的鲁国土地尽数归还。

④造：到。

⑤督亢：今河北涿州东南有督亢陂，其附近定兴、新城、固安诸县一带即战国燕督亢，是燕国的膏腴之地。

⑥说：同“悦”。

⑦揕（zhèn）：刺。

⑧自刎（wěn）：割颈自杀。

⑨函：匣子。这里用作动词，指用盒子装。

⑩淬（cuì）：浸染。

⑪濡（rú）缕：形容沾湿的范围小，这里引申为力量微弱。

【译文】

太子丹听说卫人荆轲十分贤明，因此带了丰厚的礼品去拜访他。太子丹谦和地对荆轲说："如今秦国已俘虏了韩王，又举兵向南攻打楚国，向北攻打赵国。赵国根本没有实力与秦国对抗，因此一旦赵国被攻破，那么燕国的灭亡之日也就不远了。燕国弱小，又多次受到战争的侵害，如何能够抵挡住秦国的攻势呢？各国诸侯都被秦国日渐强大的实力震慑住了，没有胆量以合纵之计对敌。我倒是有一条计策，只要找到天下的勇士出使秦国，将秦王嬴政劫持，迫使他交出诸侯的土地，就如之前曹沫对待齐桓公的方法，如果可以顺利完成就再好不过了。万一不成功，也可以乘机刺杀秦王，一旦嬴政遇刺，大将领兵在外而国内又出了事，秦国君臣之间一定会相互猜疑，我们正好可以借此机会，施以合纵之计，到那时，秦国一定会被六国攻破。这件事情，还希望荆卿可以仔细考虑一下！"荆轲答应了。于是太子丹把荆轲安顿在上舍，每天都上门拜访，将荆轲照顾得无微不至。等到秦国将军王翦灭赵的消息传来，太子丹不禁害怕起来，想要立刻派遣荆轲赶赴秦国。荆轲说："现在我没有什么办法可以得到秦国的信任，即便去了也无法接近秦王。倘若将樊将军的首级与燕督亢的地图奉献给秦王，秦王一定会很高兴，那时必定召见臣，如此臣就可依计行事了。"太子丹说："樊将军在最穷困的时候来投奔我，我实在不忍心这样做。"于是荆轲独自一个人去与樊於期会面，并说："秦国对将军真残忍，就连你的父母宗族都不放过！现在我听说秦国居然悬赏千金、邑万家，来取将军的首级，将军对此有什么打算吗？”樊於期叹息着流泪说：“那您有什么好办法呢？”荆卿说：“我希望能够提着将军的首级去见秦王，秦王一定会高兴地召见我，我左手抓住他的袖子，右手便将刀刺进他的胸膛，那时，不仅将军的大仇报了，就连燕国被欺侮的耻辱也从此消除了！”樊於期说：“你所说的就是我日思夜想的事情啊！”樊於期于是当场自刎。太子丹听到这件事情后立刻赶去哭祭，但已无力回天了，只能用盒子将樊於期的人头装起来。太子丹提前找到了天下最锋利的匕首，并且命令工匠用药浸染，拿人来做试验，血立刻濡湿了衣服，人没有不立刻死的。但太子丹还是不放心，为安全起见，又以燕国勇士秦舞阳为荆轲的副手。等到一切准备就绪后，太子丹便派遣荆轲前往秦国去了。

【原文】

荆轲至咸阳[1]，因王宠臣蒙嘉卑辞以求见；王大喜，朝服，设九宾[2]而见之。荆轲奉图以进于王，图[3]穷而匕首见，因把王袖而揕之；未至身，王惊起，袖绝。荆轲逐王，王环柱而走。群臣皆愕，卒[4]起不意，尽失其度。而秦法，群臣侍殿上者不得操尺寸之兵[5]，左右以手共搏之，且曰：“王负[6]剑！”负剑！”王遂拔以击荆轲，断其左股[7]。荆轲废，乃引匕首擿[8]王，中铜柱。自知事不就，骂曰：“事所以不成者，以欲生劫之，必得约契以报太子也！”遂体解荆轲以徇[9]。王于是大怒，益发兵诣赵，就王翦[10]以伐燕，与燕师、代师战于易水之西，大破之。

【注释】

①咸阳：秦国都城，现陕西咸阳。

②九宾：为古代宾礼中最隆重的礼仪。

③图：地图。

④卒：同“猝”。

⑤兵：武器兵器。

⑥负：背。

⑦股：腿。

⑧擿（zhì）：投掷。

⑨徇：示众。

⑩王翦：秦国著名将领，在秦始皇统一六国的战争中立有大功。

【译文】

荆轲来到秦国的都城咸阳，通过秦王宠臣蒙嘉谦卑地请求秦王的接见。秦王听说他们带来了樊於期的首级，不禁大喜，身穿朝服，在朝廷上设九宾之礼召见荆轲等人。可是，在荆轲手捧地图进献给秦王时，匕首露了出来，他随即紧紧抓住了秦王的袖子，用匕首行刺，可并没能刺中。秦王震惊，立刻起身挣断袖子。荆轲追秦王，秦王围着柱子慌乱地跑。朝下群臣一时之间都愣住了，因为事情发生得太突然，完全出乎意料，大家尽失常态，而且秦法规定，群臣上朝不可以携带武器，于是左右上前徒手和荆轲搏击，有人大声喊道：“大王，您背上有剑！”秦王听到这句话后，随即拔出剑还击荆轲，斩断了荆轲的左腿。荆轲没有办法再追击，就将匕首投向秦王，却打到了铜柱上。荆轲知道此次行刺失败了，于是大骂道：“之所以失败，是因为我想要将秦王活捉，以逼迫他许下有利于燕国的约定，以报答太子的恩情！”秦王嬴政下令将荆轲五马分尸示众。盛怒之下的秦王遂增加兵力到赵国，命令王翦率兵进攻燕国，在易水之西大破燕、代的军队。

大泽起义

【原文】

秋，七月，阳城人陈胜、阳夏人吴广起兵于蕲[1]。是时，发闾左戍渔阳，九百人屯大泽乡，陈胜、吴广皆为屯长。会天大雨，道不通，度已失期；失期，法皆斩。陈胜、吴广因天下之愁怨，乃杀将尉，召令徒属曰："公等皆失期当斩；假令毋斩，而戍死者固什六七。且壮士不死则已，死则举大名耳！王侯将相宁有种乎！"众皆从之。乃诈称公子扶苏、项燕，为坛而盟，称大楚；陈胜自立为将军，吴广为都尉。攻大泽乡，拔之；收而攻蕲，蕲下。乃令符离人葛婴将兵徇[2]蕲以东，攻铚、酂、苦、柘、谯[3]，皆下之。行收兵，比至陈，车六七百乘，骑千余，卒数万人。攻陈，陈守、尉皆不在，独守丞与战谯门中，不胜；守丞死，陈胜乃入据陈。

【注释】

①蕲（qí）：地名。

②徇：带兵攻取，占领。

③铚（zhì）、酂（zàn）、柘（zhè）、谯（qiáo）：皆为地名。

【译文】

刚刚入秋，七月，阳城人陈胜与阳夏人吴广在蕲县揭竿起义。那时，秦王朝征召闾左一带的百姓前往渔阳戍边，这九百人途中屯驻在大泽乡，陈胜、吴广二人为屯长。当时正好赶上天降大雨，道路泥泞不通，他们估计没有办法在规定的时间内赶到渔阳了。秦朝当时的法律规定，延误戍边时期，所有人一律问斩。由于秦王暴虐，天下百姓早已对他积怨已深。于是陈胜、吴广借此机会，杀死了押送他们的将尉，将戍卒召集到一起说："你们已经延误戍边期限，按照秦朝法令延误当斩。即便幸运不被斩首，长时间戍边也会让你们死伤十分六七。更何况壮士不死则已，死就要为大事而死！难道那些所谓的王侯将相就是天生的吗？"大家听到这番话纷纷响应。陈胜、吴广于是假借已死的公子扶苏和已故的楚国大将项燕的名义，培土筑坛，登高盟誓，号称"大楚"。陈胜自立为将军，吴广为都尉。起义军随即攻破了大泽乡，紧接着又招收兵马，扩充军队，进攻蕲县。起义军攻陷蕲县之后，随即令符离人葛婴领兵攻掠蕲以东的地区，相继攻克铚、酂、苦、柘、谯等地。起义军一路上不断招兵买马，到达陈地的时候，起义军已经有六七百辆战车、一千多名骑兵，数万步兵，当起义军进攻陈城的时候，郡守和郡尉都已经逃跑了，只有留守的郡丞在谯门中迎击义军，陈地的官兵没能战胜，郡丞被打死；陈胜于是率领义军进入城中，并迅速占领了陈地。

【原文】

初，大梁人张耳、陈馀相与为刎颈交①。秦灭魏，闻二人魏之名士，重赏购求之。张耳、陈馀乃变名姓，俱之陈，为里监门以自食②。里吏尝以过笞陈馀，陈馀欲起，张耳蹑③之，使受笞。吏去，张耳乃引陈馀之桑下，数之曰："始吾与公言何如？今见小辱而欲死一吏乎！"陈馀谢之。陈涉既入陈，张耳、陈馀诣门上谒。陈涉素闻其贤，大喜。陈中豪杰父老请立涉为楚王，涉以问张耳、陈馀。耳、馀对曰："秦为无道，灭人社稷，暴虐百姓。将军出万死之计，为天下除残也。今始至陈而王之，示天下私。愿将军毋王，急引兵而西；遣人立六国后，自为树党，为秦益敌；敌多则力分，与众则兵强。如此，则野无交兵，县无守城，诛暴秦，据咸阳，以令诸侯；诸侯亡而得立，以德服之，如此则帝业成矣。今独王陈，恐天下懈也。”陈涉不听，遂自立为王，号“张楚”。

当是时，诸郡县苦秦法，争杀长吏以应涉。谒者使从东方来，以反者闻。二世怒，下之吏。后使者至，上问之，对曰：“群盗鼠窃狗偷，郡守、尉方逐捕，今尽得，不足忧也。”上悦。

【注释】

①刎颈交：生死之交。

②自食：自力更生。

③蹑：用脚踩。

【译文】

当初，大梁人张耳、陈馀约定结为生死之交。秦国消灭魏国的时候，听说他们二人是魏国的名士，于是就悬赏重金征求他们。张耳、陈馀于是隐姓埋名，一同隐藏在陈地，在里门担任看守来养家。管理里巷的官吏曾经因为陈馀犯了一点儿小错就鞭笞他，陈馀想要反抗，但是张耳暗中踩他的脚，暗示他接受。等到小官离开后，张耳便将陈馀拽到一棵桑树下面，数落他说道：“开始，我是怎么叮嘱你的，现在只不过遭遇了一点儿小小的侮辱，你就要和一个小吏拼命。”陈馀很惭愧。待到陈胜的起义军进驻陈地之后，张耳和陈馀就前往陈胜的驻地通名求见。陈胜之前听说过此二人十分贤能，所以见到他们十分开心。正好赶上陈地中一些颇有声望的地方人士与乡官父老联名请求陈胜自立为楚王，陈胜就拿这件事情征求张耳、陈馀的意见。

他们回答道："秦王朝暴虐无道，不仅将别人的国家毁灭，还压榨百姓。现在，将军冒死反抗的目的，不就是为了要给天下百姓除害吗？现在您才刚刚到达陈地就要称王，是在向天下之人揭露你的私心。所以我们希望您先不要着急称王，而是迅速领兵西征，派人扶持六国国君的后裔，为自己培植党羽，从而为秦王朝增树敌人。秦朝的敌人增多了，兵力自然就分散了，大楚联合的国家多了，兵力就会越来越强大。如此一来，在野外的军队不需要交锋，县城也没有为秦守城的兵了，您就可以乘机铲除暴秦，取代秦政权，占领咸阳，发号施令于各诸侯国。等到灭亡的诸侯国得到复兴，您再施行德政使他们归附，如此就可以成就大业了！如今你在一个区区的陈县就称王，只怕会让天下之人的斗志因此变得松懈。"可是陈胜并未采纳他们的建议，而是马上自立为楚王，号称"张楚"。

在当时，各郡县都受到秦法的残酷剥削，因此争相杀掉官吏以响应陈胜。秦王朝的官谒者千里迢迢从东方回朝，把反叛的情况一五一十地告诉秦二世。秦二世听到之后大怒，当即把官谒者交给司法官吏问罪。从此之后，当秦二世再问回来的使者当地的情况时，他们就说："只是一群无名小卒，郡守、郡尉已经追捕他们了，现在已经将其抓获，无一漏网，不足以忧虑。"秦二世听后很高兴。

破釜沉舟

【原文】

章邯已破项梁，以为楚地兵不足忧，乃度河，北击赵，大破之；引兵至邯郸，皆徙其民河内，夷[1]其城郭。

张耳与赵王歇走入巨鹿城，王离围之。陈馀北收常山兵，得数万人，军巨鹿北；章邯军巨鹿南棘原。赵数请救于楚。高陵君显在楚，见楚王曰："宋义论武信君之军必败；居数日，军果败。兵未战而先见败征，此可谓知兵矣。"王召宋义与计事而大说之，因置以为上将军。项羽为次将，范增为末将，以救赵。诸别将皆属宋义，号为"卿子冠军"。

【注释】

①夷：平。

【译文】

章邯大败项梁，于是自大地以为楚地的兵力不足为惧，随即渡过黄河，北上攻打赵国，大破赵军，之后又率领大军抵达邯郸，将城中的百姓全都迁徙到河内，并将邯郸的城池夷为平地。张耳与赵王歇一同逃往巨鹿城，秦将王离率领军队将巨鹿城包围。陈馀北上常山招募兵士，得到了数万兵力，屯驻在巨鹿城的北侧；章邯则率领大军驻守在巨鹿南面的棘原。赵国因此多次求援于楚国。恰逢齐国的使者高陵君正在楚国，于是就求见楚王说道："宋义早就知道武信君的军队一定会失败；结果没有几天时间，项军果然战败。战争尚未开始就预料到败亡，这可以算得上是颇懂行军布阵了！"于是楚王当即召宋义来商量当前的战事，对他宠信有加，任命其为上将军，以项羽为次将，范增为末将，率领军队去营救赵国。各路部队的将领也都让宋义统领，宋义因此被称为"卿子冠军"。

【原文】

三年，宋义行至安阳，留四十六日不进。项羽曰："秦围赵急，宜疾引兵渡河；楚击其外，赵应其内，破秦军必矣。”宋义曰：“不然。夫搏[1]牛之虻，不可以破虮虱[2]。今秦攻赵，战胜则兵疲，我承其敝；不胜，则我引兵鼓行而西，必举秦矣。故不如先斗秦、赵。夫被坚执锐[3]，义不如公；坐运筹策，公不如义。”因下令军中曰：“有猛如虎，狠如羊，贪如狼，强不可使者，皆斩之！”乃遣其子宋襄相齐，身送之至无盐，饮酒高会。天寒，大雨，士卒冻饥。项羽曰：“将勠力而攻秦，久留不行。今岁饥民贫，士卒食半菽[4]，军无见粮，乃饮酒高会。不引兵渡河，因赵食，与赵并力攻秦，乃曰‘承其敝’。夫以秦之强，攻新造之赵，其势必举。赵举秦强，何敝之承！且国兵新破，王坐不安席，扫境内而专属于将军，国家安危，在此一举。今不恤士卒而徇其私，非社稷之臣也！”

【注释】

①搏：拍打。

②虮虱（jǐ shī）：一种动物。

③被坚执锐：指上阵杀敌。

④菽（shū）：豆的总称。

【译文】

秦二世三年（前207），宋义率领军队抵达安阳，在那里驻守四十六天却迟迟不肯进攻。项羽说：“秦军将赵军团团围住，情况如此紧急，理应火速引兵渡过黄河；这样一来，楚军在外面接应，赵军在内部作战，就一定可以打败秦军！”宋义却说道：“不是这样的。我们要拍打的是牛身上的那些虻虫，并非消除小虮虱。现在秦军攻打赵国，即便最后赢得这场战争，秦军队也会疲惫不堪，我们正好可以乘机对秦军发起猛烈攻势；如果打不胜，我就立刻率军向西挺进，如此一定可以一举克秦。所以，现在倒不如先让秦、赵两军相互争斗。身披铠甲、手持锐利的武器在战场上拼杀，我不如您；运筹帷幄、谋略策划，您却不如我。”接着，宋义在军中下达命令道：“军中凡是如老虎般勇猛，如羊般凶狠，如狼般贪婪，倔强而不服从命令的人，全都处斩！”宋义又让儿子宋襄前去齐国担任宰相，还亲自将他送到无盐县，设酒席，宴宾客。当时天气寒冷，大雨接连不断，士兵们饥寒交迫。项羽说：“原本应该联合起来攻打秦国，如今却一再滞留。而且，今年的收成不好，到处都在闹饥荒，民不聊生，士兵吃的都是蔬菜拌杂豆子，军中没有余粮，竟然还要大摆宴席招待宾客；不率领军队渡过黄河，征用赵地的粮食作为军粮，与赵军合力抗秦，反而说趁秦军疲乏的时候再发动攻势。以秦国的强大来攻打刚建立的赵国，势必会胜利。赵国被攻占，秦军只能变得更加强大，哪里还会有什么疲惫的时候呢？何况我军近来刚刚战败，楚王如今寝食难安，将全国的兵力交到将军手上，国家的生死，在此一举。但是现在将军不体恤士兵，却只顾一己私利，您怎么称得上是以国家利益为重的臣子呢？”

【原文】

十一月，项羽晨朝上将军宋义，即其帐中斩宋义头。出令军中曰：“宋义与齐谋反楚，楚王阴令籍诛之！”当是时，诸将皆慑服，莫敢枝梧[①]，皆曰：“首立楚者，将军家也；今将军诛乱。”乃相与共立羽为假上将军。使人追宋义子，及之齐，杀之。使桓楚报命于怀王。怀王因使羽为上将军。

项羽已杀卿子冠军，威震楚国，乃遣当阳君、蒲将军将卒二万渡河救巨鹿。战少利，绝章邯甬道，王离军乏食。陈馀复请兵。项羽乃悉引兵渡河，皆沉船，破釜、甑[2]，烧庐舍，持三日粮，以示士卒必死，无一还心。于是至则围王离，与秦军遇，九战，大破之，章邯引兵却。诸侯兵乃敢进击秦军，遂杀苏角，虏王离；涉间不降，自烧杀。当是时，楚兵冠诸侯军，救巨鹿者十余壁，莫敢纵兵。及楚击秦，诸侯将皆从壁上观。楚战士无不一当十，呼声动天地，诸侯军无不人人惴恐。于是已破秦军，项羽召见诸侯将。诸侯将入辕门，无不膝行而前，莫敢仰视。项羽由是始为诸侯上将军。诸侯皆属焉。

【注释】

①枝梧：同“支吾”。

②甑（zèng）：蒸食用具。

【译文】

十一月，项羽早上起来去见宋义的时候，就在营帐之中斩下了宋义的头颅，出帐之后就对着士兵发号施令：“宋义与齐国合谋反楚，楚王密令我杀了他！”当时，众将领因害怕而慑服于项羽，无人敢出声反抗，且异口同声说道：“最先拥立楚王的是将军您的家人，如今又是您铲除了乱臣贼子。”于是就一同推举项羽为代理上将军。项羽随即派人前去追赶宋义的儿子宋襄，追到齐地时，杀了他。同时派桓楚去向怀王汇报情况，怀王因此命项羽担任上将军。

项羽因为杀死了“卿子冠军”宋义，顿时名震楚国，因此他派当阳君黥布和蒲将军率军两万引渡黄河援救巨鹿。战事刚稍微对楚国有利，项羽就命人截断了甬道，阻断了王离军队的粮道，让他们陷入缺粮的困境之中。陈馀此时又请求援兵。项羽就率军渡河，并命令士兵摧毁了所有的船只和蒸食工具，烧掉营寨，只带三天的口粮，以此表明军队视死如归的决心。所以，楚军一来到巨鹿就包围了王离，与秦军交战，经过九个回合，终于大败秦军。章邯逼不得已只好带兵撤退。各诸侯国的援兵此时才敢攻打秦军，然后杀了苏角，俘虏王离。涉间宁死不降，自焚身亡。那时候，楚军的威名冠盖诸侯。虽然援救巨鹿的诸侯军拥有十多座营垒，却没有人敢发兵进攻。等到楚军出击秦军时，诸侯军的将领都在营垒上观战。楚军以一当十，喊杀声撼天动地，诸侯军无不惊惧。等到楚军攻克秦军后，项羽就召集各路诸侯将领。诸侯将领们进入辕门时，无不跪行前进，无人敢抬头仰视。项羽由此成了各诸侯军的上将军。各路诸侯全部归他统领。

汉　纪

楚汉相争

【原文】

汉王谓陈平①曰："天下纷纷，何时定乎"？陈平曰："项王骨鲠之臣②，亚父、钟离昧、龙且、周殷③之属，不过数人耳。大王诚能捐④数万斤金，行反间⑤，间其君臣，以疑其心；项王为人，意忌信谗，必内相诛，汉因举兵而攻之，破楚必矣。"汉王曰："善！"乃出黄金四万斤与平，恣⑥所为，不问其出入。平多以金纵反间于楚军，宣言："诸将钟离昧等为项王将，功多矣，然而终不得裂地而王，欲与汉为一，以灭项氏而分王其地。"项王果意不信钟离昧等。

【注释】

①陈平：刘邦谋臣。智谋过人，多次用奇计帮助刘邦平定天下，汉初被封为曲逆侯。汉文帝时，曾升为右丞相，后改任左丞相。

②骨鲠（gěng）之臣：敢于直谏的忠臣。

③亚父：范增，楚王项羽的谋士之一，被尊称为"亚父"。钟离昧：项羽的大将。龙且、周殷：二人也都是项羽手下的大将。

④捐：舍弃。

⑤间（jiàn）：离间。

⑥恣（zì）：放纵，无拘无束。

【译文】

汉王对陈平说："这战乱的时代到何时才可以结束呢？"陈平说："项羽身边的忠臣，就只有亚父、钟离眛、龙且、周殷几个罢了。大王如果可以拿出数万金银财宝，再行之以反间计，就能够让他们君臣之间产生疑心。项王向来喜欢猜疑，偏听偏信，君臣之间起疑心，一定会在内部产生厮杀。我们借此机会举兵进攻，必然可以打败项王。"汉王说："好！"于是将四万两黄金都交由陈平，由他全权处理，不再过问金钱的支出问题。陈平用这些钱买通楚国的军士，让其在楚军之间散播流言："钟离眛等人跟随项王立下赫赫战功，但是一直未能割地封王，现在准备与汉秘密结合，消灭项氏获得土地自立为王。"项王果真开始怀疑钟离眛等人了。

【原文】

夏，四月，楚围汉王于荥阳[①]，急；汉王请和，割荥阳以西者为汉。亚父劝羽急攻荥阳；汉王患[②]之。项羽使使至汉，陈平使为大牢具[③]。举进，见楚使，即佯惊曰："吾以为亚父使，乃项王使！"复持去，更以恶草具[④]进楚使。楚使归，具以报项王，项王果大疑亚父。亚父欲急攻下荥阳城，项王不信，不肯听。亚父闻项王疑之，乃怒曰："天下事大定矣，君王自为之，愿请骸骨[⑤]！"归，未至彭城[⑥]，疽[⑦]发背而死。

【注释】

①荥（xíng）阳：在今河南荥阳西。

②患：担心，担忧。

③大牢具：太牢具。在古代，宴会或祭祀时牛、羊、豕三牲齐备称为太牢。这里用指丰盛的酒食款待。

④恶草具：粗糙简陋的待客饮食。

⑤请骸（hái）骨：请求隐退。

⑥彭城：今江苏徐州。

⑦疽（jū）：代指毒疮。

【译文】

（公元前204）夏季四月，汉王在荥阳被楚军重重包围，形势十分危急，汉王意在求和，准备仅保留荥阳以西的汉地。亚父范增劝项羽火速进攻荥阳，汉王心里很害怕。项羽派人出使汉地，陈平准备了丰盛的菜肴接待贵客。一见到楚国的使者就表现出一副十分吃惊的样子，说：“我还以为是亚父派遣的使者，没想到竟是项王派来的！”于是让身边的人将饭菜端下去，重新准备了比较粗陋的饭菜进奉使者。楚国的使臣回去之后将这里的情况一五一十地告诉了项王，项王因此对范增起了疑心。范增急着攻打荥阳，项王不信任他，不肯听从他的建议。范增听说项王对自己心生怀疑，十分生气地说道：“天下大局已定，君王自行保重，希望您可以让老臣隐退乡里啊！”还没有到达彭城，亚父就因背上的毒疮发作去世了。

【原文】

五月，将军纪信[①]言于汉王曰：“事急矣！臣请诳[②]楚，王可以间出。”于是陈平夜出女子东门二千余人，楚因而四面击之。纪信乃乘王车，黄屋，左纛[③]，曰：“食尽，汉王降楚。”楚皆呼万岁，之城东观。以故汉王得与数十骑出西门遁去，令韩王信与周苛、魏豹、枞公[④]守荥阳。羽见纪信，问：“汉王安在？”曰：“已出去矣。”羽烧杀信。

【注释】

①纪信：刘邦手下的得力将领，在楚汉之争中保护刘邦有功。

②诓（kuáng）：欺骗。

③纛（dào）：古代军队或仪仗队的大旗。

④枞（cōng）公：楚汉相争时期的汉臣。

【译文】

五月，将军纪信对汉王说："现在战局十分紧张！请您下令让臣使用调虎离山计将楚军引开，汉王也可以借此机会撤离。"于是陈平半夜将两千多名女子放出城外，楚军因此四面追击她们。于是纪信驾着汉王的车，用了汉王的黄盖，左边竖着汉王的大旗，大喊道："食尽粮绝，汉王降楚。"楚人因此欢呼雀跃，都聚集在城东观看。汉王便借此机会带着数十骑从西门逃走，并命令韩王信与周苛、魏豹、枞公戍守荥阳。项羽见到纪信，问道："汉王在哪里？"纪信回答道："汉王早就已经离开了。"项羽在盛怒之下烧死了纪信。

【原文】

项羽自知少助；食尽，韩信[①]又进兵击楚，羽患之。汉遣侯公说羽请太公[②]。羽乃与汉约，中分天下，割洪[③]以西为汉，以东为楚。九月，楚归太公、吕后，引兵解而东归。汉王欲西归，张良、陈平说曰："汉有天下太半，而诸侯皆附；楚兵疲食尽，此天亡之时也。今释[④]弗击，此所谓养虎自遗患[⑤]也。"汉王从之。

【注释】

①韩信：刘邦手下大将，汉初著名军事家。

②太公：汉王刘邦之父。

③洪：鸿沟。古代最早沟通黄河和淮河的人工运河。西汉时又称狼汤渠。

④释：放弃。

⑤养虎自遗患：形容纵容坏人做坏事，就会留下后患。

【译文】

项羽知道自己身边缺少帮手，粮草也快要用完了，韩信又屡次带兵进攻楚军，心中很是担心。汉王遣派侯公来到楚地规劝项羽释放太公。于是项羽与汉王约定平分天下，以鸿沟作为分界线，西归汉，东归楚。九月，项羽放了太公与吕后，带领士兵解了荥阳之围，继而东归。汉王也有西归关中的打算，张良、陈平劝阻说："汉王现在已经拥有大半个天下，各地诸侯也纷纷前来归附，而如今楚军疲惫不堪，弹尽粮绝，这真是上天赐予灭楚的最佳时机啊。若在这个时候放掉楚人，就是养虎为患。"汉王听从了他们的意见。

【原文】

冬，十月，汉王追项羽至固陵[①]，与齐王信、魏相国越[②]期会击楚；信、越不至，楚击汉军，大破之。汉王复坚壁自守，谓张良曰："诸侯不从，奈何？"对曰："楚兵且[③]破，二人未有分地，其不至固宜。君王能与共天下，可立致[④]也。齐王信之立，非君王意，信亦不自坚；彭越本定梁地，始，君王以魏豹[⑤]故拜越为相国，今豹死，越亦望王，而君王不早定。今能取睢阳[⑥]以北至穀城[⑦]皆以王彭越，从陈[⑧]以东傅海与齐王信。信家在楚，其意欲复得故邑。能出捐此地以许两人，使各自为战，则楚易破也。"汉王从之。于是韩信、彭越皆引兵来。

【注释】

①固陵：古代的地名，今河南太康南。

②齐王信：韩信，时为齐王。魏相国越：彭越，汉初著名将领。拜魏相国，又被封为梁王。

③且：将要。

④致：招引，引来。

⑤魏豹：六国时魏国的公子。

⑥睢（suī）阳：今河南商丘南。

⑦穀（gǔ）城：今山东东阿。

⑧陈：陈州，相当于今河南周口地区。

【译文】

（高帝五年，即前202）冬，十月，汉王率兵追击项羽到固陵，与齐王韩信、魏相国彭越相约一同攻击项羽。可是韩信、彭越两个人没有在规定的时间内抵达，导致汉军大败。汉王只能重新建立防守阵地，对张良说："韩信、彭越这些人不听从于我，现在我该如何是好呢？"张良回答说："眼看楚兵就要战败了，但是韩信、彭越二人没有得到确切的封地，因此他们不来也是很正常的事情。如果您可以与他们一同分享天下，那么他们立刻就会来。齐王韩信的爵位并不是出自汉王本意，所以他自己也不安心；彭越平复梁地之乱，刚开始，您顾忌魏豹是魏王的事情所以才将彭越任命为相国，如今魏豹死了，彭越也希望您可以封他为王，但是您迟迟没有下定决心。若您可以将睢阳以北至穀城的土地都封给彭越，把陈以东沿海一带都给韩信，韩信的家在楚地，他想要的封地当然也要包括他的家乡。如果您可以答应将这些土地分给二人，让他们各自为战，那么击溃楚军就轻而易举了。"汉王听从了他的意见，于是韩信、彭越都带了军队来会合。

【原文】

十二月，项王至垓下[①]，兵少，食尽，与汉战不胜，入壁；汉军及诸侯兵围之数重。项王夜闻汉军四面皆楚歌，乃大惊曰："汉皆已得楚乎？是何楚人之多也！"则夜起，饮帐中，悲歌慷慨，泣数行下；左右皆泣，莫能仰视。于是项王乘其骏马名骓[2]，麾下[3]壮士骑从者八百余人，直夜，溃围南出驰走。平明[4]，汉军乃觉之，令骑将灌婴[5]以五千骑追之。项王渡淮，骑能属[6]者才百余人。至阴陵[7]，迷失道，问一田父，田父绐曰"左"。左，乃陷大泽中，以故汉追及之。

【注释】

①垓下：古时地名，在今安徽灵璧东南。

②骓（zhuī）：毛色苍白相杂的马。

③麾（huī）下：指将帅的部下。

④平明：黎明。

⑤灌婴：汉初名将。

⑥属（zhǔ）：连接，跟着。

⑦阴陵：春秋楚邑。故城在今安徽定远西北。

【译文】

十二月，项王率领军队撤到垓下，因为兵少食尽，和汉军的战事十分不顺，退守营垒，汉军和诸侯的军队将他们重重围住。项王在深夜听到不远处汉军的营帐中传出阵阵楚歌，大吃一惊地说："汉军已经得到楚地了吗？不然怎么会有这么多楚人呢？"项王于是起床，半夜在帐中饮酒，慷慨悲歌，流下了眼泪；身边的人也都哭泣不止，不敢抬头看他。于是，项王骑上骏马，带领八百多名壮士，借着夜色突破重围向南快马奔驰。天亮时分，汉军才察觉，命令骑将灌婴带五千骑兵追击。项王横渡淮河时，跟随他的只有百余骑兵了。到阴陵的时候他们不幸迷了路，询问一位农夫，农夫欺骗他们说"向左走"。他们向左走，结果陷入沼泽之中，因此汉军很快追上了他们。

【原文】

项王乃复引兵而东，至东城[①]，乃有二十八骑。汉骑追者数千人，项王自度不得脱，谓其骑曰："吾起兵至今，八岁矣；身七十余战，未尝败北，遂霸有天下。然今卒困于此，此天之亡我，非战之罪也。今日固决死，愿为诸君快战，必溃围，斩将，刈旗[②]，三胜之，令诸君知天亡我，非战之罪也。"乃分其骑以为四队，四乡。汉军围之数重。项王谓其骑曰："吾为公取彼一将。"令四面骑驰下，期山东为三处。于是项王大呼驰下，汉军皆披靡[③]，遂斩汉一将。是时，郎中骑[④]杨喜追项王，项王瞋目而叱[⑤]之，喜人马俱惊，辟易[⑥]数里。项王与其骑会为三处，汉军不知项王所在，乃分军为三，复围之。项王乃驰，复斩汉一都尉，杀数十百人。复聚其骑，亡其两骑耳。乃谓其骑曰："何如？"骑皆伏曰："如大王言！"

【注释】

①东城：今安徽定远东南。

②刈（yì）旗：砍断敌人的旗子。刈，砍断。

③披靡：原意是指草木随风倒伏，这里比喻军队溃败仓皇逃脱。

④郎中骑：骑兵禁卫官。

⑤瞋（chēn）目：睁大眼睛。叱（chì）：大声呵斥、斥责。

⑥辟易：惊慌地退避，避开。

【译文】

项王又率领军队向东走，到城东的时候只剩下二十八骑，而汉军的追兵有数千人。项王知道自己已经无法脱身，便对身边的骑兵说："从我起兵之日起到现在已经有八年的时间，经历了七十多场战争，从来没有失败过，这才坐拥天下。但是如今被困于此，这是天要我亡，并非我仗打得不好。看今天的情势，势必要决一死战，愿为大家痛痛快快地打一场仗，突出重围、斩杀敌将、拔取敌旗、击溃对手，让大家知道是天要亡我，而不是我指挥作战出现了什么差错。”于是他将剩余的二十八名骑兵分成四个小分队，朝着东、西、南、北四个方向冲杀。汉军包围了一层又一层。项王对属下说：“我为各位斩对方一将。”同时他命令骑兵们向四面疾驰而下，在山的东面约定好三处集合的地方，于是项王和属下骑兵大声呼喝向下直冲，汉军溃散，项王斩了一员汉将。当时郎中骑杨喜追项王，项王瞪大眼睛怒斥，杨喜人马俱惊，向后慌张退了好几里。项王与属下分为三处，汉军并不知道项王在哪一处，于是也兵分三处，将楚军包围起来。项王继续奔驰冲杀，又斩杀了汉军的一名都尉，杀死数百名汉军。这时他将骑军聚集起来，发现只损失了两骑，于是对剩下的骑兵说：“大家感觉如何？”属下都佩服地说：“就像大王先前说的那般。”

【原文】

于是项王欲东渡乌江[①]，乌江亭长舣船[②]待，谓项王曰：“江东虽小，地方千里，众数十万人，亦足王也。愿大王急渡！今独臣有船，汉军至，无以渡。”项王笑曰：“天之亡我，我何渡为！且籍与江东子弟八千人渡江而西，今无一人还；纵江东父兄怜而王我，我何面目见之！纵彼不言，籍独不愧于心乎！”乃以所乘骓马赐亭长，令骑皆下马步行，持短兵接战。独籍所杀汉军数百人，身亦被十余创。顾见汉骑司马[③]吕马童，曰：“若非吾故人乎？”马童面之，指示中郎骑王翳曰：“此项王也！”项王乃曰：“吾闻汉购我头千金，邑万户，吾为若德[4]。”乃刎而死。王翳[5]取其头，余骑相蹂践[6]争项王，相杀者数十人。最其后，杨喜、吕马童及郎中吕胜、杨武各得其一体；五人共会其体，皆是。故分其户，封五人皆为列侯[7]。

【注释】

①乌江：位于安徽和县境内。

②杙（yǐ）船：让船靠岸。

③骑司马：项羽建立郡国后采用的新的军事官职。

④德：情义，恩惠。

⑤王翳（yì）：关中地区出身的秦人，旧秦军的将士。

⑥蹂践：踩踏。

⑦列侯：爵位名称。秦制爵分二十级，彻侯位最高。汉承秦制，为避汉武帝刘彻讳，改彻侯为通侯，或称列侯。

【译文】

于是项王想要东渡乌江，乌江亭长将船停到岸边等着他，并对项王说："江东虽然小，方圆不过千里之地，百姓数十万，但也足够让您称王了。还请大王立刻渡江！这里只有臣有船，汉军即使赶到，他们也无法渡江。”项王笑着说："这是上天要亡我，我为何要渡江！而且项籍当年带了八千江东子弟渡江西征，现在没有一个人可以回去。纵使江东父兄可怜我依然视我为王，可是我还有什么颜面去见他们呢！即使他们不怪罪我，我也是有羞愧之心的。”于是，项羽把所乘乌骓马赐给亭长，下令骑兵都下马，持短兵器迎战。光是项羽一人就斩杀了数百名汉军，身上负伤十多处。他回头忽然看见汉骑司马吕马童，说："你不是故人吗？”吕马童看到项王，用手指着项羽对中郎骑王翳说："这就是项王！”项王说："我听说汉王悬赏千金、城邑万户来买我的人头，现在我就把这件好事留给我的故人吧。”于是自刎而亡。王翳拿到了项王的人头，其他的士兵也都踩踏着抢夺，有数十人在争斗中被杀。最后，杨喜、吕马童及郎中吕胜、杨武分别得到项王的一部分肢体，将肢体拼在一起以证明是项羽。所以刘邦在封赏时，将悬赏的邑万户分为五份，五个人都被封为列侯。

韩信之死

【原文】

六年，冬，十月，人有上书告楚王信反者。帝以问诸将，皆曰：“亟[①]发兵，坑竖子耳！”帝默然。又问陈平。陈平曰：“人上书言信反，信知之乎？”曰：“不知。”陈平曰：“陛下精兵孰与楚？”上曰：“不能过。”平曰：“陛下诸将，用兵有能过韩信者乎？”上曰：“莫及也。”平曰：“今兵不如楚精而将不能及，举兵攻之，是趣[②]之战也，窃为陛下危之！”上曰：“为之奈何？”平曰：“古者天子有巡狩，会诸侯。陛下第出，伪游云梦，会诸侯于陈。陈，楚之西界；信闻天子以好出游，其势必无事而郊迎谒[③]；谒而陛下因禽之，此特一力士之事耳。”帝以为然，乃发使告诸侯会陈：“吾将南游云梦。”上因随以行。楚王信闻之，自疑惧，不知所为。或说信曰：“斩钟离昧以谒上，上必喜，无患。”信从之。十二月，上会诸侯于陈，信持昧首谒上；上令武士缚信，载后车。信曰：“果若人言：狡兔死，走狗烹；高鸟尽，良弓藏；敌国破，谋臣亡。天下已定，我固当烹！”上曰：“人告公反。”遂械系信以归，因赦天下。

【注释】

①亟：赶快。

②趣：同“促”，督促，催促。

③谒（yè）：拜见，拜谒。

【译文】

汉高帝六年（前201）冬季，十月，有人秘密上书告发楚王韩信，说他要谋反。汉高祖刘邦征求众位将领的意见，大家都说：“现在就要立刻发兵，将这个家伙活埋。”高祖沉默不语。他又征求陈平的意见。陈平说道：“有人上书告发韩信，说他有谋反之心，这件事情韩信知道吗？”高祖说：“自然是不知道的。”陈平又说：“陛下的兵力与楚王韩信的兵力相比怎么样？”高祖说道：“在兵力上，我是不及楚王的。”陈平说：“那么陛下手下的将领们，在调兵遣将方面有谁可与韩信相比吗？”高祖说道：“没有。”陈平说：“现在陛下的军队不如楚王的精悍，将领又个个不如楚王，却要讨伐他，这不是在逼迫他谋反吗？我真的很为陛下担忧啊！”高祖道：“那么现在该怎么办呢？”陈平说：“在古代，天子有时会巡游诸侯镇守的地方，会见诸侯。陛下也可以巡游，假意巡游云梦这个地方，然后在陈地会见诸侯。而陈地又在楚国的边界上，韩信听说天子怀着友好会见诸侯的心情巡游，想到一定是无事，所以必然会毫无戒备地去郊外迎接陛下。当他拜见陛下的时候就乘机抓住他，这件事情只需要一名武功高强的人就能够办到。”高祖认为陈平说得非常有道理，于是就派使者通知诸侯到陈地聚会，交代道：“我将南巡云梦。”高祖于是开始向南游行。楚王韩信知道这个消息之后，疑心重重，十分惊恐，不知如何是好。此时有人告诉韩信说：“斩杀钟离昧去拜见陛下，陛下一定会十分高兴，这样就没有什么祸患了。”韩信按照他的方法做了。到了十二月，高祖在陈地会见诸侯，韩信就拿着钟离昧的人头来拜见。高祖立刻下令将韩信捆绑起来，囚禁在皇帝车驾出行的副车上。韩信说：“果真如人们说的那般：狡兔死了，奔跑的猎狗就会被烹煮；高飞的鸟儿没了，优良的弓箭就会被收藏；敌对的国家被攻破了，谋臣就会招致杀身之祸。如今天下安定，我被烹煮也是情理之中的事！”高祖说道：“有人告你有谋反之意。”于是用镣铐枷锁把韩信锁得结结实实地带回了国都，接着下诏大赦天下。

【原文】

上还，至洛阳，赦韩信，封为淮阴侯。信知汉王畏恶其能，多称病，不朝从；居常鞅鞅，羞与绛、灌等列。尝过樊将军哙。哙跪拜送迎，言称臣，曰：“大王乃肯临臣！”信出门，笑曰：“生乃与哙等为伍！”上尝从容与信言诸将能将[①]兵多少。上问曰：“如我能将几何？”信曰：“陛下不过能将十万。”上曰：“于君何如？”曰：“臣多多而益善耳。”上笑曰：“多多益善，何为为我禽？”信曰：“陛下不能将兵而善将将，此乃信之所以为陛下禽也。且陛下，所谓天授，非人力也。”

十一年，淮阴侯信称病，不从击豨[②]，阴使人至豨所，与通谋。信谋与家臣夜诈诏赦诸官徒、奴，欲发以袭吕后、太子；部署已定，待豨报。其舍人得罪于信，信囚，欲杀之。春，正月，舍人弟上变，告信欲反状于吕后。吕后欲召，恐其傥不就；乃与萧相国谋，诈令人从上所来，言豨已得，死，列侯、群臣皆贺。相国绐信曰：“虽疾，强入贺。”信入，吕后使武士缚信，斩之长乐钟室。

【注释】

①将：驾驭，指挥。

②豨（xi）：指陈豨。陈豨（？—前195），宛朐人，汉高祖七年（前200），韩王信反叛，逃入匈奴，高祖带兵到平城而回，封陈豨为列侯，以赵国相国的身份统率赵国、代国的军队。

【译文】

高祖一回到洛阳，就赦免了韩信，并册封他为淮阴侯。韩信深知汉王畏惧厌恶他的能力，于是屡屡称病，不上朝。他平常在家里也总是一副不高兴的样子，为自己与绛侯周勃、将军灌婴这些人的地位平等而感到耻辱。韩信曾经去拜见樊哙。樊哙对韩信行跪拜礼并亲自送迎，嘴里不停地称自己为臣子，并说道："大王竟然也会光临寒舍了！"韩信出门后，仰天大笑道："如今的我竟然与樊哙等人为伍了！"高祖曾经和韩信闲聊，提到将领们可以领多少兵。高祖问道："像我这样的人可以率领多少士兵呢？"韩信回答道："陛下您不过能领十万的兵。"高祖又问道："对你来说又是什么样呢？"韩信回答道："我自然是越多越好了！"高祖忍不住大笑道："越多越好，却为什么还会被我拿捏呢？"韩信说道："陛下虽然不擅长领兵却善于驾驭和指挥将领，这就是我韩信被陛下拿捏的原因。更何况陛下的才干是上天授予的，并不是我们这些凡夫俗子所能获得的呀！"

汉高祖十一年（前196），淮阴侯韩信称自己得了重病，不跟随高祖讨伐陈豨，却偷偷派人到陈豨的住处，想要与他勾结谋反。韩信准备与家臣在夜间伪造诏书赦免官府的罪臣与奴隶，并打算让他们去攻击吕后、太子。韩信等人一切准备就绪，只等着陈豨的消息了。当时，韩信的门客做错了事情，得罪了韩信，韩信将他囚禁起来，想要将他杀掉。第二年春季，正月，那个门客的弟弟上书举报，将韩信意图谋反的事情全都告诉了吕后。吕后知道之后，想要把韩信召来，但又担心他不来，便与相国萧何谋划，让人假装刚刚从高祖那里回来，说陈豨已经被逮住处死。列侯和群臣听到这个消息之后都前来朝中祝贺。萧何对韩信说："虽然您现在生病了，但是也应该忍住病痛来朝中道贺啊！"韩信一到朝廷，吕后就立刻下令武士将韩信捆绑起来，在长乐宫钟室内将其斩杀。

飞将李广

【原文】

六年，陇西李广为上郡太守，尝从百骑出，卒[①]遇匈奴数千骑。见广，以为诱骑，皆惊，上山陈。广之百骑皆大恐，欲驰还走。广曰："吾去大军数十里，今如此以百骑走，匈奴追射我立尽。今我留，匈奴必以我为大军之诱，必不敢击我。"广令诸骑曰："前！"未到匈奴阵二里所，止，令曰："皆下马解鞍！"其骑曰："虏多且[②]近，即有急，奈何？"广曰："彼虏以我为走；今皆解鞍以示不走。用坚其意。"于是胡骑遂不敢击。有白马将出，护其兵；李广上马，与十余骑奔，射杀白马将而复还，至其骑中解鞍，令士皆纵马卧。是时会暮，胡兵终怪之，不敢击。夜半时，胡兵亦以为汉有伏军于旁，欲夜取之，胡皆引兵而去。平旦，李广乃归其大军。

【注释】

①卒：同"猝"，突然。

②且：而且。

【译文】

汉景帝中元六年（前144），陇西人李广为上郡太守，带领一百多名骑兵外出时，突然遭遇数千名匈奴骑兵。匈奴见到李广等人，还以为是汉军大部队派来的诱兵，十分吃惊，随即上山摆开阵势。李广手下的一百多名骑兵十分恐惧，都打算骑马逃跑，李广劝说他们："我们距离匈奴大军仅有数十里，现在只是凭借这一百名骑兵往回跑，一旦匈奴追杀，我们必死无疑。倘若我们留在这里不走，匈奴一定认为我们是大军的诱敌策略，必定不会对我们下手。"说完之后，李广就命令骑兵们说："继续向前走！"一行人来到距离匈奴阵地不远的地方，停了下来，李广命令说："将士们全部下马，然后解下马鞍。"他手下的骑兵都说："匈奴人多而且离我们比较近，如果有紧急情况发生，我们该如何是好呢？"李广说道："敌人原本以为我们会逃跑，而现在我让你们卸下马鞍，是为了向他们表示我们不会逃跑，借此来坚定他们认为我们是诱敌之军的想法。"最后匈奴骑兵果真上当了。这时匈奴的军队中冲出了一位身骑白马的将领，监视李广的军队。李广见状飞身上马，带上十几个骑兵奔向前去，射杀这位将领之后，又重新回到了营地。抵达百骑阵营中后，李广立刻卸下马鞍，命令将士们休息。当时，将近黄昏，匈奴骑兵始终对李广等人的行为深表怀疑，迟迟不敢行动。半夜，匈奴的军队依然认为附近有大量埋伏的汉军，准备在夜里突袭他们，所以吓得都领兵撤离了。等到黎明时，李广才率领军队返回汉军大营。

【原文】

元朔元年，秋，匈奴二万骑入汉，杀辽西太守，略二千余人，围韩安国壁；又入渔阳、雁门，各杀略千余人。安国益东徙，屯北平；数月，病死。天子乃复召李广，拜为右北平太守。匈奴号曰“汉之飞将军”，避之，数岁不敢入右北平。元狩四年，大将军青既出塞，捕虏知单于所居，乃自以精兵走之，而令前将军广并于右将军，出东道。东道回远而水草少，广自请曰：“臣部为前将军，今大将军乃徙令臣出东道。且臣结发而与匈奴战，今乃一得当单于，臣愿居前，先死[①]单于。”大将军亦阴受上诫，以为“李广老，数奇，毋令当单于，恐不得所欲”。而公孙敖新失侯，大将军亦欲使敖与俱当单于，故徙前将军广。广知之，固自辞于大将军，大将军不听。广不谢而起行，意甚愠怒。

【注释】

①死：指厮杀。

【译文】

元朔元年（前128），秋，匈奴率领两万骑兵进入汉朝境内，杀死了辽西郡太守，俘虏了两千多人，并将韩安国守卫的汉军壁垒重重包围；继而进犯渔阳与雁门两地，在两个地方俘虏和杀害了一千多人。韩安国迫不得已只能率领军队前往更远的东边，屯驻在北平，没过几个月，就因病去世了。于是武帝不得不再一次任用李广，让他担任右北平太守。匈奴曾经称赞李广为“汉朝的飞将军”，也正因如此，他们才会刻意躲避他，接连数年都不敢踏入右北平郡。元狩四年（前119），大将军卫青出塞后，从匈奴俘虏嘴里得知单于的住地，于是亲自率兵前往，而且命令前将军李广与右将军赵食其的军队会合，从东路进攻敌人。东路迂回，路途遥远，而且水草稀少，李广就主动请求说：

"我的部队是前将军的部队，如今大将军却将我的部队改为东路军。况且我开始从军时就与匈奴作战，直到现在才能够真正地面对单于，所以我甘愿为先锋，率先与单于拼杀。"卫青出征之前，汉武帝曾一再嘱咐他说："李广年纪大了，多次遇事凶险，千万不要让他与单于正面交锋，我担心他会出现什么差错。"而公孙敖刚刚失去侯爵的职位，卫青想让他同自己一道正面和单于对抗，所以才把李广调为东路。李广知道事情的真相后，多次向卫青请求，却屡次遭拒。李广于是没有和卫青辞别就只身前往，心中的愤慨自然不必言说。

【原文】

前将军广与右将军食其军无导，惑失道，后大将军，不及单于战。大将军引还，过幕南，乃遇二将军。大将军使长史责问广、食其失道状，急责广之幕府对簿。广曰："诸校尉无罪，乃我自失道，吾今自上簿至幕府"。广谓其麾下曰："广结发与匈奴大小七十余①战，今幸从大将军出接单于兵，而大将军徙广部行回远，而又迷失道，岂非天哉！且广年六十余矣，终不能复对刀笔之吏！"遂引刀自刭。

广为人廉，得赏赐辄分其麾下，饮食与士共之。士以此爱乐为用。及死，一军皆哭。百姓闻之，知与不知，无老壮皆为垂涕。而右将军独下吏，当死，赎为庶人。

【注释】

①余：多。

【译文】

前将军李广与右将军赵食其所带领的东路军由于无人担任向导，在沙漠中迷了路，因此落在了卫青的后面，没能参与和单于的那一场血战。一直到卫青率军回营，经过沙漠时才遇到了迷路的李广与赵食其所部。卫青派长史追问二人迷路的情况，长史责令李广立即到大将军那里听训。李广说道："众校尉都没有犯什么错，是我自己迷了路，我现在就到大将军府听训。"说完这些话后，李广又对自己的属下说："我从年少时作战到现在，和匈奴打过的战争大大小小有过七十多次，现在终于等到与匈奴首领单于交锋的机会了，大将军却将我从前锋调到东路。路途本来就曲折遥远，之后又不慎迷失了方向，难道这不是天意吗？况且我已经年过六十，终不能再去面对那些代办文书的小吏！"于是拔刀自刎。

李广为人清廉，只要得到赏赐就会与部下分享，与部下吃住在一起。士兵们因此很乐意为他所用。得知李广死去的消息后，全军痛哭不已，百姓们听到他去世的消息，不管是知道他光荣事迹的还是不知道的，不管老少，都为他伤心落泪。而右将军赵食其一人被交付到幕府审判，其罪当死，后来赎了身成为平民。

魏　纪

司马诛曹

【原文】

三年，太子即位，年八岁；大赦。尊皇后曰皇太后，加曹爽、司马懿侍中，假节钺[①]，都督中外诸军、录尚书事。诸所兴作宫室之役，皆以遗诏罢之。

爽、懿各领兵三千人更[②]宿殿内，爽以懿年位素高，常父事之，每事谘访，不敢专行。

【注释】

①节钺（yuè）：符节和斧钺。古代将此物授予将帅，作为加重权力的标志。

②更：轮流。

【译文】

景初三年（239），魏明帝曹叡驾崩，太子登基，仅有八岁。太子即位之后大赦天下，尊皇后为皇太后，任曹爽、司马懿为侍中，并赐予符节和斧钺，统领中外诸军、总领尚书事。此前先帝统治时期营建的宫室，都因遗诏暂停施工。

曹爽、司马懿分别率领三千士兵轮流在宫殿内守护着，因司马懿的年龄和地位都比自己高，曹爽对待他如长辈一般，每次遇到什么事情都会先向他请教，从不敢擅自行动。

【原文】

初，并州刺史东平[①]毕轨及邓飏[②]、李胜、何晏、丁谧[③]皆有才名而急于富贵，趋时附势，明帝恶其浮华，皆抑而不用。曹爽素与亲善，及辅政，骤加引擢[4]，以为腹心。晏，进之孙。谧，斐之子也。晏等咸共推戴爽，以为重权不可委之于人。丁谧为爽画策，使爽白天子发诏，转司马懿为太傅，外以名号尊之，内欲令尚书奏事，先来由己，得制其轻重也。爽从之。二月，丁丑，以司马懿为太傅，以爽弟羲为中领军[5]，训为武卫将军[6]，彦为散骑常侍[7]、侍讲，其余诸弟皆以列侯侍从，出入禁闼，贵宠莫盛焉。

【注释】

①东平：地名，在今山东境内。

②邓飏（yáng）：曹魏大臣，台中三狗之一。东汉名将邓禹之后。权臣曹爽的亲信之一。

③丁谧（mì）：台中三狗之一，沛国人。

④擢（zhuó）：提拔。

⑤中领军：官名，汉末曹操置。品级低于领军将军。

⑥武卫将军：官名，三国魏置，掌管中军宿卫禁兵。

⑦散骑常侍：官名，三国魏置，由汉代散骑和中常侍合并而成，在皇帝身边规谏过失，以备顾问。

【译文】

最初，并州刺史东平的毕轨与邓飏、李胜、何晏、丁谧都是有才名但利欲熏心的人，他们趋炎附势，明帝十分厌恶这样浮华的作风，所以对他们百般压制且不加以重用。但曹爽与他们的关系素来友好，等到他辅政之后，就大力提拔他们，并将他们视为心腹。何晏，是何进的孙子。丁谧，是丁斐的儿子。何晏等人一致推举拥戴曹爽，认为大权不可以落入旁人之手。丁谧为曹爽谋划，让曹爽上奏天子下诏，把司马懿降为太傅，对外以名号尊崇他，但不给他什么实权，对内尚书奏事要先通过曹爽，以此控制大权。曹爽接受了这个提议。二月，下诏任司马懿为太傅，任曹爽的弟弟曹羲为中领军，曹训为武卫将军，曹彦为散骑常侍、侍讲，其他的兄弟们都封为列侯，随身侍奉皇帝，出入宫禁，贵宠无人可比。

【原文】

爽事太傅，礼貌虽存，而诸所兴造，希复由之①。爽徙吏部尚书卢毓②为仆射③，而以何晏代之，以邓飏、丁谧为尚书，毕轨为司隶校尉。晏等依势用事，附会者升进，违忤者罢退，内外望风，莫敢忤旨④。

【注释】

①希复由之：很少再通过他（指司马懿）。

②卢毓（yù）：三国时期的司空。

③仆射：官名，汉成帝置尚书五人，其中一人为仆射，地位仅次于尚书令。

④忤旨：不遵从皇上的旨意。

【译文】

曹爽对于太傅司马懿的态度，只留有表面的谦和、礼貌，可是真正的事务决策，却很少再参考他的意见。曹爽将吏部尚书卢毓调任仆射，让何晏担任吏部尚书一职，同时，还任命邓飏、丁谧为尚书，毕轨为司隶校尉。何晏等人仰仗自身势力胡作非为，对听从他们的就加以提拔，不听从他们的就降职罢免，朝中大臣内外望风行事，官员无人敢违拗他们的心意。

【原文】

正始八年，大将军爽用何晏、邓飏、丁谧之谋，迁太后于永宁宫；专擅朝政，多树亲党，屡改制度；太傅懿不能禁，与爽有隙①。五月，懿始称疾，不与政事。

【注释】

①隙：矛盾，嫌隙。

【译文】

正始八年（247），大将军曹爽采用何晏、邓飏、丁谧等人的计策，把太后迁移到永宁宫居住；独揽朝政大权，培植亲信党羽，多次更改制度。太傅司马懿多次阻止不成，逐渐与曹爽产生了矛盾。五月，司马懿开始假装生病，不上朝，也不参与政事。

【原文】

九年，大将军爽，骄奢无度，饮食衣服，拟于乘舆①；尚方②珍玩，充牣③其家；又私取先帝才人以为伎乐。作窟室④，绮疏⑤四周，数与其党何晏等纵酒其中。弟羲深以为忧，数涕泣谏止之，爽不听。爽兄弟数俱出游，司农⑥沛国桓范谓曰："总万机，典禁兵，不宜并出。若有闭城门，谁复内人者？"爽曰："谁敢尔邪！"

【注释】

①乘舆：代指皇帝。

②尚方：掌管制造皇帝御用器物的官署。

③牣（rèn）：充满。

④窟室：地下室。

⑤绮疏：窗上雕的花纹。

⑥司农：掌租税钱谷、盐、铁和国家财政收支的官员，列为九卿之一。

【译文】

正始九年（248），大将军曹爽骄奢无度，不管是饮食还是穿着都与皇帝类似；家中摆满了皇宫才有的珍玩；私自将明帝的女官当作歌伎玩乐。建造私人地下室，并且在四周装满雕饰花纹的窗户，经常和何晏等人在此纵欢。他的弟弟曹羲因此十分担忧，多次哭着劝说，但曹爽根本听不进去。曹爽兄弟多次一同出游，大司农、沛国人桓范对他说："你们兄弟大权独揽，掌管禁兵，一同出城只怕不妥。万一有人故意将城门关闭，又有谁能够成为城内接应呢？”曹爽说：“有谁敢做出这样的事情！”

【原文】

初，清河、平原①争界，八年不能决。冀州刺史孙礼请天府②所藏烈祖封平原时图以决之。爽信清河之诉，云图不可用，礼上疏自辨，辞颇刚切。爽大怒，劾礼怨望，结刑五岁。久之，复为并州刺史，往见太傅懿，有忿色而无言。懿曰：“卿得并州少邪？恚③理分界失分乎？”礼曰：“何明公言之乖④也！礼虽不德，岂以官位往事为意邪？本谓明公齐踪伊、吕⑤，匡辅魏室，上报明帝之托，下建万世之勋。今社稷将危，天下凶凶⑥，此礼之所以不悦也！”因涕泣横流。懿曰：“且止，忍不可忍！”

【注释】

①清河：今河北清河。平原：今山东平原。

②天府：朝廷藏物的府库称为天府。

③恚（huì）：气愤，怨恨。

④乖：古怪。

⑤齐踪伊、吕：和伊尹、吕尚（姜子牙）相比。

⑥凶凶：骚动不安的样子。

【译文】

原先清河和平原因为地界划分的问题一直争论不休，经过八年的时间都没有解决。冀州刺史孙礼请求用朝廷所藏明帝封平原王时候的地图进行比对，以此来划定边界。曹爽相信了清河的说法，说地图已经不能再使用，孙礼上疏辩解，言辞犀利。曹爽因此十分生气，心生怨怼，就弹劾孙礼，判了他五年的刑。很久之后，孙礼又担任并州刺史一职，前去拜见太傅司马懿，神情愤怒，却不说话。司马懿问："你是嫌并州刺史的职务太低，还是怨恨处理地界的事情呢？"孙礼说："明公为什么会说出这样奇怪的话呢？孙礼虽称不上德才兼备，但还不至于会将官职和往事记在心上。我本以为明公应该遵循伊尹、吕尚等人的做法，辅佐魏室，上可以报答明帝临终之托，下可以建立万世功勋。现在社稷处于危难之中，天下动乱，这才是我郁郁寡欢的原因啊！"一边说着，一边泪流不止。司马懿说："不能这样，要先忍耐别人忍受不了的事情，才能成就大事。"

【原文】

冬，河南尹李胜出为荆州刺史，过辞太傅懿。懿令两婢侍，持衣，衣落；指口言渴，婢进粥，懿不持杯而饮，粥皆流出沾胸。胜曰："众情谓明公旧风发动，何意尊体乃尔！"懿使声气才属[①]，说："年老枕疾，死在旦夕。君当屈并州，并州近胡，好为之备！恐不复相见，以子师、昭兄弟为托。"胜曰："当还忝本州，非并州。"懿乃错乱其辞曰："君方到并州？"胜复曰："当忝荆州。"懿曰："年老意荒，不解君言。今还为本州，盛德壮烈，好建功勋！"胜退，告爽曰："司马公尸居余气[②]，形神已离，不足虑矣。"他日，又向爽等垂泣曰："太傅病不可复济[③]，令人怆然[④]！"故爽等不复设备。

【注释】

①属：连接。

②尸居余气：形容人将要去世。

③济：有利，有益。

④怆（chuàng）然：伤心的样子。

【译文】

冬季，河南尹李胜任荆州刺史一职，在赴任之前，特意前往司马懿的府邸向太傅司马懿辞行。司马懿让身边的两个婢女在左右服侍，给他更衣，他却将衣服掉在了地上；司马懿又用手指着嘴巴说要喝水，婢女服侍他喝粥，但司马懿不拿杯子就直接饮用，结果粥顺着嘴巴流出来洒在了胸口上。李胜说：“大家都说明公旧疾发作，却没有想到竟然已经到了这么严重的地步。”司马懿装作半天才缓过神来，说：“年老病重，生死就是早晚的事情罢了，你到并州做官真是委屈了，那里距离胡人近，一切都要多加防备啊。这一别恐怕再也不能相见了，小儿司马师、司马昭兄弟就托付你照顾了。”李胜说：“我是去本州，并非并州。”司马懿假装听错，问道：“你才到并州？”李胜又说：“荆州。”司马懿说：“年老了，听不懂你说什么，现在你回到家乡做官，一定要好好建功立业啊。”李胜回去之后，对曹爽说：“司马公已经奄奄一息，形神都已经分离，根本不足为虑。”后来有一天，李胜又向曹爽等人垂泪道：“太傅的病或许不会再有好转了，当真是让人难过。”因此曹爽等人不再对司马懿设防。

【原文】

太傅懿阴与其子中护军师、散骑常侍昭谋诛曹爽。

嘉平元年，春，正月，甲午，帝谒高平陵[①]，大将军爽与弟中领军羲、武卫将军训、散骑常侍彦皆从。太傅懿以皇太后名义下令，闭诸城门，勒兵[②]据武库[③]，授兵出屯洛水浮桥[④]，召司徒高柔假节行大将军事，据爽营，太仆王观行中领军事，据羲营。因奏爽罪恶于帝曰：“臣昔从辽东还，先帝诏陛下、秦王及臣升御床，把臣臂，深以后事为念。臣言：‘太祖、高祖[⑤]亦属臣以后事，此自陛下所见，无所忧苦。万一有不如意，臣当以死奉明诏。’今大将军爽，背弃顾命，败乱国典，内则僭拟[⑥]，外则专权，破坏诸营，尽据禁兵，群官要职，皆置所亲，殿中宿卫，易以私人，根据盘互[7]，纵恣日甚，又以黄门张当为都监[8]，伺察至尊，离间二宫，伤害骨肉，天下汹汹，人怀危惧。陛下便为寄坐，岂得久安！此非先帝诏陛下及臣升御床之本意也。臣虽朽迈，敢忘往言！太尉臣济等皆以爽为有无君之心，兄弟不宜典兵宿卫，奏永宁宫，皇太后令敕臣如奏施行。臣辄敕主者及黄门令‘罢爽、羲、训吏兵，以侯就第，不得逗留，以稽车驾；敢有稽留，便以军法从事！’臣辄力疾[9]将兵屯洛水浮桥，伺察非常。”爽得懿奏事，不通；迫窘不知所为，留车驾宿伊水[10]南，伐木为鹿角[11]，发屯田兵数千人以为卫。

【注释】

①高平陵：明帝曹叡之墓，在今河南洛阳东南。

②勒（lè）兵：带领军队。

③武库：储藏武器军备的仓库。

④浮桥：在并列的船或者筏子上铺上木板而搭成的桥。

⑤太祖：曹操。高祖：文帝曹丕。

⑥僭（jiàn）拟：僭越，超出规定范围，自比皇帝。

⑦根据盘互：把持据守，相互勾结。

⑧都监：三国时期称内侍官。

⑨力疾：勉强支撑病体。

⑩伊水：在今河南西部。

⑪伐木为鹿角：将形似鹿角带有枝丫的树木堆放于地上以阻挡敌军前进。

【译文】

太傅司马懿暗中与儿子中护军司马师、散骑常侍司马昭谋划如何除掉曹爽。

嘉平元年（249），正月初六，皇帝祭拜高平陵，大将军曹爽与弟中领军曹羲、武卫将军曹训、散骑常侍曹彦都侍奉在侧。太傅司马懿借太后的名义下令，关闭各个城门，率军占领了武器库，派遣军队驻扎在洛水浮桥，召司徒高柔持兵符暂时代理大将军职，占据曹爽的营地。太仆王观行中领军事，占据曹羲的营地。之后奏明皇上，说出曹爽的罪行，他说："臣当年从辽东来到京师，先帝将陛下、秦王及臣叫到榻前，紧紧地握着臣的手臂，心念身后事。臣进言说太祖、高祖也曾经把后事托付于臣，这些都是陛下亲眼见到的，陛下不用担心，一旦发生有违皇上心愿的事情，臣一定誓死完成陛下的嘱托。如今大将军曹爽背弃了先帝的遗命，败坏典章制度，在内堪比君主，在外独揽大权；破坏了各个军营的制度，控制禁军；朝中要职，都安置了他的亲信，就连殿中宿卫，也都换成了他的人。他的亲党势力日益增长，乱党之间的关系更是盘根错节，越来越嚣张。他又任用宦官张当为都监，监视陛下的一举一动，离间皇太后与皇上之间的感情，伤害了你们的骨肉之情，如今天下人情汹汹，人们无不惊恐万分。面对这样的局面，陛下就像是暂时寄坐在皇位上，并不是长久之道。这样的局面也不是先帝对陛下及臣等当面嘱托的本意。臣的年纪虽然大了，但也不敢忘记先帝的遗命。太尉蒋济等都觉得曹爽等人有反叛之心，他们兄弟不适合再掌管宿卫，于是上奏永宁宫，皇太后便下令让臣按照命令行事。臣于是吩咐主事者和黄门令罢免曹爽、曹羲、曹训的官职，以列侯的身份返回府邸，不得有片刻停留，以免阻碍陛下的车驾；要是有人胆敢阻拦皇上的车驾，一律按军法处置。臣以病弱之体带领军队前往洛水浮桥，伺察有没有异常情况。"曹爽得到了司马懿的奏章，再加上城内的消息不畅，因此十分担心，不知道该做什么，只得先安排皇帝的车驾夜宿伊水南，砍伐树木做成鹿角形来作为防御工事，征发数千名士兵进行守卫。

【原文】

懿使侍中高阳、许允及尚书陈泰说爽，宜早自归罪，又使爽所信殿中校尉[1]尹大目谓爽，唯免官而已，以洛水为誓。

【注释】

①殿中校尉：武职官名。

【译文】

司马懿派侍中高阳、许允及尚书陈泰极力规劝曹爽，让他趁早回来认罪，又遣派曹爽信任的殿中校尉尹大目对曹爽说，不过就是免去官职罢了，不会伤害到他的性命。为了让曹爽等人相信，还以洛水的名义发誓。

【原文】

范至，劝爽兄弟以天子诣许昌[1]，发四方兵以自辅。爽疑未决，范谓羲曰："此事昭然，卿用读书何为邪！于今日卿等门户，求贫贱复可得乎！且匹夫质一人，尚欲望活；卿与天子相随，令于天下，谁敢不应也！"俱不言。范又谓羲曰："卿别营近在阙南，洛阳典农治[2]在城外，呼召如意。今诣许昌，不过中宿[3]，许昌别库，足相被假；所忧当在谷食，而大司农印章在我身。"羲兄弟默然不从，自甲夜[4]至五鼓[5]，爽乃投刀于地曰："我亦不失作富家翁！"范哭曰："曹子丹[6]佳人，生汝兄弟，犊犊[7]耳！何图今日坐汝等族灭也！"

【注释】

①许昌：今位于河南许昌东部。

②洛阳典农治：洛阳屯田部队。

③中宿：半夜。

④甲夜：晚上七时至九时这段时间。

⑤五鼓：天亮。

⑥曹子丹：曹真，字子丹，曹操族子，三国著名将领，曹爽、曹羲的父亲。

⑦犊：小猪，小牛。

【译文】

桓范来到曹爽这里，规劝曹爽兄弟带着皇上到许昌，征发四方的军队增强自身的实力。曹爽犹豫不决，桓范对曹羲说："这件事情已经很明显了。你是一个读书人，难道还不明白其中的道理吗？面对今天这样的情形，你们曹家，即便是只求降为庶人安然度日也是不可能的了。更何况平民百姓抓到一个人质之后，还想要以此为条件侥幸活下来。你们如今和天子在一起，挟天子而号令天下，有谁敢不听从你们的！"大家都不说话。桓范又对曹羲说："你的一支军队就在不远处的城南，洛阳屯田部队也守候在城门外，只要你愿意，随时都可以召见。你现在动身前往许昌，半夜就能到了。许昌的武库，足够装备士兵；只有粮食让人担忧，而现在我的身上就带着大司农印章。"曹羲兄弟默不作声，不听从桓范的主张。三人就这样僵持了一夜，最后，曹爽把刀丢在地上说："即使不做官了，我也是一个富家翁。"桓范痛哭着说道："曹真这样的能人，怎么会生出你们这样的儿子，犹如猪和牛一样蠢笨。真是想不到今天会被你们连累灭族。"

【原文】

爽乃通[①]懿奏事，白帝下诏免己官，奉帝还宫。爽兄弟归家，懿发洛阳吏卒围守之；四角作高楼，令人在楼上察视爽兄弟举动。爽挟弹到后园中，楼上便唱言："故大将军东南行！"爽愁闷不知为计。

【注释】

①通：通传，转达。

【译文】

曹爽于是将司马懿的奏章转交到皇上手中，请皇上下诏免去自己的职位，然后将皇上送回皇宫。曹爽兄弟刚刚回到家里，司马懿就率领军士将曹府重重包围，在宅院四角建起高楼，让人在楼上秘密监视曹氏兄弟的一举一动。曹爽只是带着弹弓去了后园，楼上就有人大声喊着："前大将军往东南去了。"曹爽因此十分郁闷，不知道该怎么办才好。

【原文】

戊戌，有司奏："黄门张当私以所择才人与爽，疑有奸。"收当付廷尉考实[①]，辞云："爽与尚书何晏、邓飏、丁谧、司隶校尉毕轨、荆州刺史李胜等阴谋反逆，须三月中发。"于是收爽、羲、训、晏、飏、谧、轨、胜并桓范皆下狱，劾以大逆不道，与张当俱夷三族[②]。

【注释】

①廷尉：官名，掌管司法刑狱。考实：审讯出实情。

②夷三族：秦汉时代的刑罚。只要犯特殊重罪，特别是谋反谋叛等十恶罪名的人，会处以诛灭三族的极刑。三族之范围说法不一，一般认为指父、兄弟与妻子。

【译文】

戊戌日有人告发说："宦官张当私自挑选才人送给曹爽，怀疑他们之间有什么阴谋。"于是，将张当逮捕交付廷尉审讯。张当说："曹爽与尚书何晏、邓飏、丁谧、司隶校尉毕轨、荆州刺史李胜等人要密谋造反，到三月中旬就会起事。"于是将曹爽、曹羲、曹训、何晏、邓飏、丁谧、毕轨、李胜和桓范一同逮捕入狱，以大逆不道的罪名弹劾他们，和张当一同斩首，且诛灭了他们的三族。

晋纪

淝水之战

【原文】

太元八年（七月），秦王坚[①]下诏大举入寇[②]，民每十丁遣一兵。其良家子[③]年二十已下，有材勇者，皆拜羽林郎[④]。又曰："其以司马昌明为尚书左仆射，谢安为吏部尚书，桓冲为侍中；势还不远，可先为起第。"良家子至者三万余骑，拜秦州[⑤]主簿金城[⑥]赵盛之为少年都统。是时，朝臣皆不欲坚行，独慕容垂[⑦]、姚苌及良家子劝之。阳平公融[⑧]言于坚曰："鲜卑、羌虏[⑨]，我之仇雠[⑩]，常思风尘之变以逞其志，所陈策画，何可从也！良家少年皆富饶子弟，不闲[⑪]军旅，苟为谄谀[⑫]之言以会陛下之意耳。今陛下信而用之，轻举大事，臣恐功既不成，仍有后患，悔无及也！"坚不听。

【注释】

①秦王坚：前秦王苻坚，氐族人，十六国时期前秦的皇帝。

②入寇：侵入东晋。

③良家子：出身清白的男子。

④羽林郎：皇家禁卫军军官。

⑤秦州：今位于甘肃天水。

⑥金城：今位于甘肃兰州。

⑦慕容垂：又名慕容霸，鲜卑族人。

⑧阳平公融：苻融，苻坚之弟，封阳平公。

⑨鲜卑、羌虏：分别指慕容垂、姚苌的国家。

⑩仇雠（chóu）：仇敌。

⑪闲：同“娴”，熟悉。

⑫谄（chǎn）谀：奉承拍马。

【译文】

太元八年（383）七月，秦王苻坚下令举兵进攻东晋，百姓每十名成年男子中征发一人当兵；良家子弟二十岁以下勇猛的，都被任命为羽林郎。他还说：“战争胜利之后要让东晋的皇帝司马昌明担任尚书左仆射一职，宰相谢安担任吏部尚书，车骑将军桓冲担任侍中。现在想一想也是很快的事情了，可以先为他们建好府邸。”良家子弟应征的有三万多人，秦王苻坚让秦州主簿金城赵盛之任少年都统。当时朝臣们并不想要让苻坚南下，只有慕容垂、姚苌与应征而来的良家子弟想要打仗。阳平公苻融对苻坚说：“鲜卑、羌虏与我们素来为敌，他们一直想要伺机复国，这种人说的话又怎么可以相信呢？良家少年就是一些富家子弟，对于军旅之事根本不熟悉，不过就是说出一些阿谀奉承的话讨陛下的欢喜罢了。现在陛下听信并采用了慕容垂、姚苌等人的计划，轻易地率兵南下，我担心不仅不会成功，反而会后患无穷，到时后悔就来不及了。”苻坚不听，执意伐晋。

【原文】

八月，甲子，坚发长安，戎卒[1]六十余万，骑二十七万，旗鼓相望，前后千里。九月，坚至项城[2]，凉州[3]之兵始达咸阳[4]，蜀、汉之兵方顺流而下，幽、冀[5]之兵至于彭城[6]，东西万里，水陆齐进，运漕万艘。阳平公融等兵三十万，先至颍口[7]。是时，秦兵既盛，都下震恐。

【注释】

①戎卒：兵士。

②项城：今河南项城。

③凉州：今武威，位于甘肃河西走廊东端。

④咸阳：今陕西咸阳。

⑤幽、冀：今河北地区。

⑥彭城：今江苏徐州。

⑦颍（yǐng）口：今安徽颍上东南。

【译文】

八月甲子日，苻坚从长安出发，率领六十多万兵士，二十七万骑兵，旗鼓相望，足有千里之长。九月，苻坚来到项城，而凉州的军队才刚刚抵达咸阳，蜀、汉的军队也才顺流而下，幽州与冀州的军队到达彭城，东西方圆万里以内，水陆并进，运输粮草的船只数量达到上万。阳平公苻融等率兵三十多万，提前到达颍口。当时，秦兵的浩大声势，建康人心惶惶。

【原文】

冬，十月，秦阳平公融等攻寿阳[1]；癸酉，克之，执平虏将军[2]徐元喜等。融以其参军河南郭褒为淮南太守[3]。慕容垂拔郧城[4]。胡彬闻寿阳陷，退保硖石[5]，融进攻之。秦卫将军[6]梁成等帅众五万屯于洛涧，栅淮以遏东兵[7]。谢石、谢玄等去洛涧二十五里而军，惮成，不敢进。胡彬粮尽，潜遣使告石等曰："今贼盛，粮尽，恐不复见大军！"秦人获之，送于阳平公融。融驰使白秦王坚曰："贼少易擒，但恐逃去，宜速赴之！"坚乃留大军于项城，引轻骑八千，兼道[8]就融于寿阳。遣尚书朱序来说谢石等以“强弱异势，不如速降”。序私谓石等曰：“若秦百万之众尽至，诚难与为敌。今乘诸军未集，宜速击之；若败其前锋，则彼已夺气，可遂破也。”

【注释】

①寿阳：今安徽寿县。

②平虏将军：东晋的武官名。

③淮南太守：地方长官，治所在安徽寿县，今安徽淮河以南地区。

④郧（yún）城：今湖北安陆。

⑤硖（xiá）石：安徽凤台、寿县一带。

⑥卫将军：官名，掌管禁兵，参与政务。

⑦栅淮以遏东兵：在淮水上设立栅栏以阻挡东晋军队。栅，动词，用竹、木、铁条等制成的阻拦或防卫物。

⑧兼道：加速赶路。

【译文】

冬十月，前秦阳平公苻融等负责攻打寿阳。十八日，攻入城中，将东晋平虏将军徐元喜等人俘虏。苻融任命参军河南人郭褒为淮南太守。慕容垂一举攻克郧城。东晋胡彬听到寿阳陷落的消息之后，立即撤兵退守硖石。苻融继续向硖石发动猛烈进攻。前秦卫将军梁成等人率领五万军士驻守在洛水，沿淮河一带设立栅栏阻止东晋援兵。谢石、谢玄等在距离洛涧二十五里处安营扎寨，因为惧怕梁成而不敢发动进攻。胡彬军营中的粮草马上就要用完了，于是偷偷派人告诉谢石说：“现在秦军声势盛大，一旦粮草完结，恐怕无法再见到大军了。”秦人抓住胡彬，将他押解到苻融那里。苻融派人火速通知秦王苻坚，说：“晋军如今人少，较容易应付，只担心让他们逃脱，还请秦王速速赶来。”苻坚于是将大军留在项城，自己带了八千轻骑兵，马不停蹄，日夜兼程地赶往寿阳和苻融会合。秦人派尚书朱序去劝降谢石，说：“秦强晋弱，力量相差过于悬殊，不如速速投降。”朱序却在私底下对谢石等人说：“如果秦军百万之众全都到达，那晋军自然无法对抗，现在趁着秦大军还没有集合，应该迅速出击；如果打败秦军的先锋部队，那么秦军的气势就会被大大削弱，如此就能够击败他们了。”

【原文】

石闻坚在寿阳，甚惧，欲不战以老[①]秦师。谢琰劝石从序言。十一月，谢玄遣广陵相刘牢之[②]帅精兵五千趣[③]洛涧，未至十里，梁成阻涧为陈[④]以待之。牢之直前渡水，击成，大破之，斩成及弋阳太守[⑤]王咏，又分兵断其归津[⑥]，秦步骑崩溃，争赴淮水，士卒死者万五千人。执秦扬州刺史王显等，尽收其器械军实[⑦]。于是谢石等诸军水陆继进。秦王坚与阳平公融登寿阳城望之。见晋兵部阵严整，又望见八公山[⑧]上草木，皆以为晋兵，顾谓融曰：“此亦劲敌，何谓弱也！”怃然[⑨]始有惧色。

【注释】

①老：使对方疲惫。

②刘牢之：东晋名将。

③趣（qū）：趋赴。

④陈：同“阵”，军阵。

⑤弋（yì）阳太守：江西弋阳地区的地方官。

⑥归津：退路。

⑦器械军实：军用器械与粮饷。

⑧八公山：位于寿县城北。

⑨怃（wǔ）然：形容失望的样子。

【译文】

谢石听到苻坚已经抵达寿阳的消息，心中很畏惧，不想迎战，只想拖垮秦军。谢琰规劝谢石采用朱序的计策。十一月，谢玄派广陵相刘牢之带领五千精兵悍将直奔洛涧，没出十里，梁成就在山涧处布好埋伏等待他们到来。刘牢之径直向前渡水，对梁成的军队发起进攻，大败秦军，斩下梁成与弋阳太守王咏的头颅，又分兵阻断秦军撤退的险要渡口。秦军步兵和骑兵瞬间陷入混乱，争着抢着渡河，因此损失士兵达到一万五千人之多。刘牢之军队抓到秦扬州刺史王显等人，缴获了他们全部的武器和军饷。于是谢石诸军顺着水陆继续向前。秦王苻坚与阳平公苻融登上寿阳城向四周查探，发现晋兵布阵严整，又发现八公山上的草木有动静，以为都是晋兵，苻坚回头对苻融说："这也是劲敌啊，又如何能说他们不堪一击呢？"于是怅然若失，开始害怕起来。

【原文】

秦兵逼肥水而陈[①]，晋兵不得渡。谢玄遣使谓阳平公融曰："君悬军深入，而置陈逼水，此乃持久之计，非欲速战者也。若移陈小却，使晋兵得渡，以决胜负，不亦善乎？"秦诸将皆曰："我众彼寡，不如遏之，使不得上，可以万全。"坚曰："但引兵少却，使之半渡，我以铁骑蹙[②]而杀之，蔑[③]不胜矣！"融亦以为然，遂麾[④]兵使却。秦兵遂退，不可复止，谢玄、谢琰、桓伊等引兵渡水击之。融驰骑略陈[⑤]，欲以帅退者，马倒，为晋兵所杀，秦兵遂溃。玄等乘胜追击，至于青冈[⑥]。秦兵大败，自相蹈藉[⑦]而死者，蔽野塞川。其走者闻风声鹤唳[⑧]，皆以为晋兵且至，昼夜不敢息，草行露宿，重以饥冻，死者什七八。初，秦兵小却，朱序在陈后呼曰："秦兵败矣！"众遂大奔。序因与张天锡、徐元喜皆来奔。获秦王坚所乘云母车⑨及仪服器械、军资、珍宝、畜产不可胜计，复取寿阳，执其淮南太守郭褒。

【注释】

①陈：同"阵"，布阵。

②蹙（cù）：逼近，逼迫。

③蔑：没有。

④麾（huī）：指挥。

⑤驰骑略陈：骑着马来回奔驰，想要压住阵脚。

⑥青冈：今安徽凤台西北。

⑦蹈藉（jiè）：践踏。

⑧风声鹤唳（lì）：形容惊慌失措，或戒备紧张。唳，鹤叫声。

⑨云母车：用云母进行装饰的车。

【译文】

秦兵依淝水列阵，晋军没有办法渡江。谢玄派遣使者对阳平公苻融说："您如今孤军深入，倚靠淝水布阵，这是做好了打持久战的准备，而不是速战速决的办法。如果您可以将兵阵稍稍向后移动，让晋兵可以渡河，然后再决一死战，这难道不是一件好事吗？"前秦的将领都说："我众敌寡，倒不如牵制他们，不让晋军渡河，这才是万全之策啊！"苻坚说："我们引兵稍退，等到他们在河中央的时候，我军再以铁骑猛烈冲杀，如此没有不胜的道理。"苻融也认为苻坚说的有道理，于是下令让秦兵稍稍向后。哪知秦兵一退就停不下来。谢玄、谢琰、桓伊等马上率领军队渡河，进行追击。苻融骑马布阵，想要指挥后退的士兵，可是他的马被绊倒后他却被晋兵杀死了。于是秦兵溃败，谢玄等人乘胜追击，来到青冈，秦兵大败，自相践踏而死的人遍布山野。逃走的士兵惊慌失措，昼夜都不敢停下来休息，在草丛中穿行、露宿，饥寒交迫，死的足有十分之七八。刚开始，秦兵稍退却的时候，朱序就开始在阵后大声喊："秦兵败啦！"于是秦兵便四处溃散。朱序借此机会与张天锡、徐元喜投奔东晋。晋军俘获秦王苻坚所乘云母车及军服仪仗、武器军备、珍宝、畜产数不胜数，晋军继而收复寿阳，并活捉了前秦淮南太守郭褒。

【原文】

坚中流矢，单骑走至淮北，饥甚。民有进壶飧、豚髀[①]者，坚食之，赐帛十匹，绵十斤。辞曰："陛下厌苦安乐，自取危困。臣为陛下子，陛下为臣父，安有子饲其父而求报乎？"弗顾而去。坚谓张夫人曰："吾今复何面目治天下乎！"潸然流涕[②]。

【注释】

①壶飧（sūn）：一壶水泡饭。飧，晚餐，饭食。豚髀（bì）：猪腿。

②潸（shān）然流涕：伤心落泪的样子。

【译文】

苻坚被箭射中，独自骑马往淮北的方向逃窜，在饥寒交迫的时候，百姓进献了一壶水泡饭和猪腿，苻坚吃了之后，赏赐献食者帛十匹、绵十斤。献食者推辞说："陛下不愿意过安逸的生活，冒险讨伐东晋，当真是自讨苦吃。百姓都是陛下的孩子，陛下就是百姓的父亲，哪里有儿子给父亲东西还要求回报的呢？"说完，就头也不回地走了。苻坚对张夫人说："经过这一场战争，我已经没有脸面再治理天下了啊！"说完，伤心地流下了眼泪。

齐　纪

魏迁洛阳

【原文】

永明十一年，魏主[①]以平城[②]地寒，六月雨雪，风沙常起，将迁都洛阳。恐群臣不从，乃议大举伐齐[③]，欲以胁众。斋于明堂[④]左个，使太常卿王谌筮[⑤]之，遇“革”，帝曰：“汤、武革命[⑥]，顺乎天而应乎人。吉孰大焉！”群臣莫敢言。尚书任城王澄[⑦]曰：“陛下奕叶重光[⑧]，帝有中土。今出师以征未服，而得汤、武革命之象，未为全吉也。”帝厉声曰：“繇[⑨]云：大人虎变[⑩]，何言不吉？”澄曰：“陛下龙兴已久，何得今乃虎变！”帝作色曰：“社稷我之社稷，任城欲沮[⑪]众邪！”澄曰：“社稷虽为陛下之有，臣为社稷之臣，安可知危而不言！”帝久之乃解[⑫]，曰：“各言其志，夫亦何伤！”

【注释】

①魏主：北魏孝文帝拓跋宏。

②平城：北魏的都城，今山西大同。

③齐：南朝的齐。

④明堂：古代帝王颁布政令，接受朝觐和祭祀天地诸神以及祖先的地方。

⑤筮（shì）：古代用蓍草进行占卜的一种活动。

⑥汤、武革命：代指革卦的卦辞。

⑦任城王澄（dèng）：指拓跋澄，孝文帝的叔父，支持北魏迁都。

⑧弈叶重光：指孝文帝继承北魏先世光辉的基业。弈叶，即累世。重光，比喻累世盛德，辉光相承。

⑨繇（yáo）：卜辞。

⑩大人虎变：比喻居上位者行动变化莫测。

⑪沮：动词，令……沮丧。

⑫解：消失。

【译文】

永明十一年（493），魏孝文帝因为平城严寒，六月天飘雪，又经常有风沙，所以想要将都城迁到洛阳。可是，他担心群臣不愿意，于是商议要攻打齐国，以此威胁大家。在明堂左边偏殿斋戒时，文帝让太常卿王谌占卜，并得出革卦。孝文帝说："革卦就意味着汤、武革命，可谓顺天命应人心。这是大吉之卦啊！"群臣都不敢出声。尚书任城王拓跋澄说："陛下从先世的手中得到这辉煌基业，在中原登基称帝。如今出征讨伐还没有臣服的敌寇，便得到了预示着汤、武革命的卦，这并不算是全吉。"皇帝严厉地说："繇辞说，王者的行踪如老虎般变化莫测，又怎么是不吉了呢？"拓跋澄答道："如今，国家在陛下的治理下，兴盛已久，为何现在又要实施老虎般的变革？"孝文帝怒道："社稷是我的社稷，任城王难道是想要使众人丧气吗？"拓跋澄说："社稷虽然是陛下的，但是臣身为社稷之臣，怎么可以明知道危险却不阻拦呢？"过了很长时间，皇帝的怒气才慢慢平息下来，说："不过就是各自聊表心意罢了，也没有什么关系的。"

【原文】

既还宫，召澄入见，逆[①]谓之曰："向者《革卦》，今当更与卿论之。明堂之忿，恐人人竞言，沮[2]我大计，故以声色怖文武耳，想识朕意。”因屏[3]人，谓澄曰：“今日之举，诚为不易。但国家兴自朔土，徙居平城，此乃用武之地，非可文治。今将移风易俗，其道诚难，朕欲因此迁宅中原，卿以为何如？”澄曰：“陛下欲卜宅[4]中土，以经略四海[5]，此周、汉之所以兴隆也。”帝曰：“北人习常恋故[6]，必将惊扰，奈何？”澄曰：“非常之事，故非常人之所及。陛下断自圣心，彼亦何所能为！”帝曰：“任城，吾之子房[7]也！”六月，丙戌，命作河桥，欲以济师。

【注释】

①逆：迎上前去。

②沮：同“阻”，阻挠。

③屏（bǐng）：屏退。

④卜宅：指迁都。

⑤经略四海：治理天下。

⑥习常恋故：习惯于旧有的、已经成为常例的事物，恋旧。

⑦子房：张良，刘邦身边重要的谋臣。

【译文】

孝文帝回宫之后，召见拓跋澄，并上前对他说：“上次说的《革卦》，我现在还要再和你重新讨论讨论，那天在明堂上我之所以生气，是因为担心人人争相发言，破坏我的计策，所以才故意声色俱厉，不过就是为了震慑百官罢了。想必你一定可以理解我的。”孝文帝屏退左右，对拓跋澄说：“今天的这些成就，确实很不容易。咱们国家在北方起兴，后迁都至平城。这个地方虽然是征战的好地方，但并不适合推行文治。如今要移风易俗，这条路实在是不容易，所以朕现在想要将都城迁至中原，对此你有什么看法吗？”拓跋澄说：“陛下想要将都城迁到中原地区，在那里经营天下，这原本就是周、汉两朝能够兴盛发达的原因啊！”孝文帝说：“北人的风俗习惯一贯保守，知道迁都的事情之后必定十分惊恐、担忧，又有什么办法呢？”拓跋澄说：“不平凡的事，本身就不是平凡的人能够做到的，陛下圣心独断，反对的人又可以做什么呢！”孝文帝说：“任城王，你真是我的张良啊！”六月丙戌，孝文帝下令在黄河建桥，准备出师的时候用来渡河。

【原文】

九月，戊辰，魏主济河①。庚午，至洛阳。魏主自发平城至洛阳，霖雨②不止。丙子，诏诸军前发。丁丑，帝戎服③，执鞭乘马而出。群臣稽颡④于马前。帝曰：“庙算⑤已定，大军将进，诸公更欲何云？”尚书李冲等曰：“今者之举，天下所不愿，唯陛下欲之。臣不知陛下独行，竟何之也？臣等有其意而无其辞，敢以死请！”帝大怒曰：“吾方经营天下，期于混壹⑥，而卿等儒生，屡疑大计。斧钺有常⑦，卿勿复言！”策马将出，于是安定王休等并殷勤泣谏。帝乃谕群臣曰：“今者兴发不小，动而无成，何以示后！朕世居幽朔，欲南迁中土，苟不南伐，当迁都于此，王公以为何如？欲迁者左，不欲者右。”安定王休等相帅如右。南安王桢进曰：“成大功者不谋于众。今陛下苟辍⑧南伐之谋，迁都洛邑，此臣等之愿，苍生之幸也。”群臣皆呼万岁。时旧人虽不愿内徙，而惮于南伐，无敢言者，遂定迁都之计。

【注释】

①济河：渡河。

②霖雨：连绵的雨。

③戎服：穿着军服。

④稽颡（sǎng）：古代一种跪拜礼。

⑤庙算：朝廷确定下来的谋略。

⑥混壹：统一天下。

⑦斧钺有常：借指重刑。常，规矩，规则。

⑧辍（chuò）：平息。

【译文】

九月戊辰，孝文帝一行人渡过黄河，庚午抵达洛阳。孝文帝从平城出发到洛阳，大雨始终连绵不断。丙子，孝文帝颁布出征的诏书。丁丑，孝文帝身披铠甲，持鞭骑马从宫门出来。群臣聚在他的马前磕头阻止。皇帝说："朝廷南征的计划早已确定，大军马上就要出发，诸位大臣还有什么要说的吗？"尚书李冲等人说："陛下现在的举动，天下人都不同意，只由陛下一人决定，臣实在不知道陛下如此独断，究竟是为了什么？臣等对于陛下此次征伐并不赞同，但是又不知道应该说什么来阻止陛下，只能以死相劝了。"孝文帝龙颜大怒，大声斥责道："如今，我正在经营天下，希望有一天能够实现统一大业，但是你们这群怯懦之人，多次怀疑我的大策；你们若是执意如此，我定会将你们处以重刑，你们还是不要再说了。"于是策马将行，此时安定王拓跋休等都哭着进谏。孝文帝面对百官说："场面如此之大，最后却取消征伐，又该如何为后人做榜样呢？朕的祖先世世代代居住在北方，想要迁至中原地区；如果不向南征讨，就迁都到这里，你们觉得怎么样啊？同意迁都的站在左面，不同意的站到右面。"安定王拓跋休等人一同站到了右面。南安王拓跋桢上奏说："建立大功勋的人从来不征求他人的意见，现在陛下若是停止南征，迁都至洛阳，那么这就是臣等所希望看到的，自然也是百姓之幸。”百官高呼万岁。当时虽然老一辈的人们不愿意迁都，但是相比之下更畏惧文帝出征，所以没有人敢再反对。于是，迁都的计策就此确定了。

【原文】

李冲言于上曰：“陛下将定鼎①洛邑，宗庙宫室，非可马上行游以待之。愿陛下暂还代都②，俟③群臣经营毕功④，然后备文物、鸣和鸾⑤而临之。”帝曰：“朕将巡省州郡，至邺⑥小停，春首即还，未宜归北。”乃遣任城王澄还平城，谕留司百官以迁都之事，曰：“今日真所谓革也，王其勉之！”帝以群臣意多异同，谓卫尉卿⑦、镇南将军于烈曰：“卿意如何？”烈曰：“陛下圣略渊远，非愚浅所测。若隐心而言，乐迁之与恋旧，适中半耳。”帝曰：“卿既不唱异，即是肯同，深感不言之益。”使还镇平城，曰：“留台庶政⑧，一以相委。”

【注释】

①定鼎：这里指迁都。

②代都：平城。

③俟（sì）：等。

④经营毕功：指营建都城的工程已经完毕。

⑤备文物、鸣和鸾：准备好车驾及典章文物（迎接孝文帝）。

⑥邺（yè）：位于今河北临漳境内。

⑦卫尉卿：官名，统率卫士守卫宫禁。

⑧留台庶政：平城政府中的各种政务。

【译文】

李冲进言：“陛下将要在洛邑定都，但是新都的宗庙宫室并不是一时可以建造完成的。希望陛下暂且回到平城，等到群臣把新都营造完毕，再备好车驾和典章文物，迎候陛下驾临。”孝文帝说：“朕要去巡省州郡，在邺城稍微停留一下，初春时就会回到洛阳，不适合再回到旧都了。”于是派遣任城王拓跋澄回平城，把迁都的事情详细告知留下的官员，说：“今日是真正的‘革’了。任城王一定要好好努力啊！”孝文帝深知群臣的意见并不统一，就对卫尉卿、镇南将军于烈说：“你认为迁都的事情怎么样啊？”于烈答道：“陛下英明谋略深远，这些并不是我等浅陋之辈能够猜测的。平心而论，愿意迁都和怀恋旧地的人，应该都占据半数。”皇帝说：“既然你并没有提出反对意见，也就等同于赞同了，我深切感念你没有说出什么反对的话。”于是孝文帝派他还镇平城，说：“旧都的一切政务，都交给你处理了。”

【原文】

冬，十月，戊寅朔，魏主如金墉城①，征穆亮，使与尚书李冲、将作大匠②董尔经营洛都。乙未，魏解严③，设坛④于滑台⑤城东，告行庙⑥以迁都之意。大赦。起滑台宫。任城王澄至平城，众始闻迁都，莫不惊骇。澄援引古今，徐以晓之，众乃开伏⑦。澄还报于滑台，魏主喜曰：“非任城，朕事不成。”

【注释】

①金墉城：洛阳城（今河南洛阳东）西北角的一个小城。

②将作大匠：官名，掌管宫室、宗庙、陵寝等的土木营建。

③解严：解除戒严令。

④坛：祭坛。

⑤滑台：河南滑县。

⑥行庙：天子巡幸或大军出征临时建造的庙。

⑦开伏：开悟心服。

【译文】

冬季，十月初一，孝文帝等人来到金墉城，选征穆亮，让他和尚书李冲、将作大匠董尔一同建造新都洛阳。乙未，孝文帝解除戒严令，在滑台城东设祭坛，把迁都的意思禀报行庙。大赦天下。修建滑台宫。任城王拓跋澄返回平城，文武百官才听说迁都的事情，全都很吃惊。拓跋澄引古论今，逐渐开导众人，大家也才慢慢明白，并接受了这件事情。拓跋澄回到滑台宫回报这个消息，孝文帝大喜，说："没有任城王，朕迁都的事情就办不成了。"

【原文】

癸卯，魏主如邺城。王肃[①]见魏主于邺，陈伐齐之策。魏主与之言，不觉促席移晷[②]。自是器遇日隆，亲旧贵臣莫能间[③]也。魏主或屏左右与肃语，至夜分不罢，自谓君臣相得之晚。寻除辅国将军、大将军长史。时魏主方议兴礼乐，变华风，凡威仪文物，多肃所定。乙巳，魏主遣安定王休帅从官迎家于平城。

【注释】

①王肃：出身于世家大族，其父王奂因在南齐时被人诬陷冤杀，逃到北魏，得到孝文帝的重用，对于北魏的改革贡献极大。

②促席移晷（guǐ）：座席向前移动，时间流逝。形容孝文帝和王肃一见如故，交谈忘记时间，座位也越靠越近。晷，日影。

③间（jiàn）：隔阂，疏远。

【译文】

癸卯，孝文帝抵达邺城。王肃在邺城觐见孝文帝，陈奏征讨南齐的策略。孝文帝在和他谈话的时候，促膝而谈，不知不觉忘记了时间。从此之后，对他十分器重，礼遇也变得越来越隆重，亲旧贵臣谁也不能让他们之间有隔阂。孝文帝有时候还会屏退左右的仆人单独与他交谈，一直聊到半夜都无法停止，自称是君臣相见恨晚啊。因此，孝文帝很快升任王肃为辅国将军、大将军长史。这个时候孝文帝正在和大臣商讨礼仪雅乐的事情，想要改变鲜卑风俗。只要涉及帝王威严仪容的制度，大都由王肃负责。乙巳，孝文帝派安定王拓跋休带领百官到平城，把皇室亲眷迎接到新都洛阳。

【原文】

建武元年，十月，戊申，魏主亲告太庙，使高阳王雍、于烈奉迁神主于洛阳。辛亥，发平城。十一月，魏主至洛阳，欲澄清流品①，以尚书崔亮兼吏部郎。魏主欲变易旧风，壬寅，诏禁士民胡服②。国人多不悦。

【注释】

①澄清流品：魏晋南北朝时特有的一种制度，按门第的高低来分士人的等级，以此确定官员的地位高低。

②胡服：鲜卑服装。

【译文】

建武元年（494）十月戊申，孝文帝亲自率领百官祭太庙，派遣高阳王拓跋雍和于烈负责把祖宗的牌位护送到洛阳。辛亥，从平城出发迁都洛阳。十一月，孝文帝来到了洛阳城，想要采纳魏晋南北朝时期特有的门第等级制度，任用尚书崔亮兼吏部郎。孝文帝想要改变鲜卑的风俗，壬寅，下诏禁止士民穿胡服，但多数国人都不愿意。

【原文】

建武二年五月，魏主欲变北俗，引见群臣，谓曰：

“卿等欲朕远追商、周，为欲不及汉、晋邪？”咸阳王禧对曰：“群臣愿陛下度越[1]前王耳。”帝曰：“然则当变风易俗，当因循守故邪？”对曰：“愿圣政日新。”帝曰：“为止于一身，为欲传之子孙邪？”对曰：“愿传之百世！”帝曰：“然则必当改作，卿等不得违也。”对曰：“上令下从，其谁敢违！”帝曰：“夫‘名不正，言不顺，则礼乐不可兴’。今欲断诸北语[2]，一从正音，其年三十已上，习性已久，容不可猝[3]革。三十已下，见在朝廷之人，语音不听仍旧。若有故为，当加降黜。各宜深戒！王公卿士以为然不？”对曰：“实如圣旨。”帝曰：“朕尝与李冲论此，冲曰：四方之语，竟知谁是，帝者言之，即为正矣。冲之此言，其罪当死！”因顾冲曰：“卿负社稷，当令御史牵下！”冲免冠顿首谢。又责留守之官曰：“昨望见妇女犹服夹领小袖[4]，卿等何为不遵前诏！”皆谢罪。帝曰：“朕言非是，卿等当庭争[5]。如何入则顺旨，退则不从乎！”六月，己亥，下诏：“不得为北俗之语于朝廷。违者免所居官！”

【注释】

①度越：超越。

②北语：鲜卑语。

③猝：突然。

④夹领小袖：鲜卑服装。

⑤庭争：廷争，在朝堂上直接将反对意见提出来。

【译文】

建武二年（495）五月，孝文帝想要改变鲜卑族人的风俗，于是征求群臣的意见。孝文帝问道：“各位想要朕效仿商、周的善政，还是想要朕连汉、晋都不如呢？”咸阳王拓跋禧奏对道："群臣希望陛下的功绩可以超越前王。"孝文帝说："既然如此，那么我们是应该移风易俗，还是墨守成规呢？"答道："希望陛下施政可以不断改进，日新月异。"孝文帝问："朝廷的万千基业是要止于一身，还是传给子孙呢？"答道："希望陛下传承百世。"孝文帝说："既然如此，就一定要加以变革，各位不得违背。"答道："朝廷颁布政令，臣下服从遵行，没有任何人胆敢违抗。"孝文帝说："古语说，'名不正则言不顺'，那么礼乐制度就无法建立。现在我想要禁止说鲜卑语言，改说汉语。三十岁以上的，早已经习惯这样的生活，容许他不立即做出改变。三十岁以下、现在朝廷为官的，不可以再说鲜卑语；如果还故意说鲜卑语，就要革职查办，各位一定要谨记啊！王公卿士们认为这样怎么样啊？"群臣答道："陛下说得有理。"孝文帝说："朕曾经和李冲讨论这件事情，李冲说：四方都有自己的方言，又有谁知道哪一种才是正确的呢？陛下说的是哪一种语言，那么哪一种就是标准的语言。李冲说出这样的话，应该被处死。"孝文帝又对李冲说："你辜负了社稷，应该交给御史治罪。"李冲摘下官帽，磕头谢罪。孝文帝又责令留守的官员说："昨天我看见有的妇人依然穿着鲜卑服，你们为何不遵守我颁发的诏书呢？"官员们一起谢罪。孝文帝说："朕说得不对，你们应该当面指出错误，怎么可以当面服从，转身就不遵守呢？"六月己亥孝文帝下诏："朝廷之上不许说鲜卑语，违者免官！"

【原文】

魏有司奏："广川王妃[①]葬于代都，未审[②]以新尊从旧卑，以旧卑就新尊？"魏主曰："代人迁洛者，宜悉葬邙山[③]。其先有夫死于代者，听妻还葬，夫死于洛者，不得还代就妻。其余州之人，自听从便。”丙辰，诏：“迁洛之民死，葬河南，不得还北。”于是代人南迁者悉为河南洛阳人。

【注释】

①广川王妃：广川王拓跋谐的王妃。

②审：知道。

③邙（máng）山：位于河南洛阳北侧，黄河南岸，是秦岭山脉的余脉，崤山支脉。

【译文】

魏有司上奏说：“广川王妃葬在平城，如今广川王去世，不知是该将广川王葬回平城，还是将王妃移到洛阳和王爷葬在一起呢？”孝文帝说：“继承人迁到洛阳的，死后一律葬在洛阳以北的邙山。如果有丈夫先在平城去世的，可以让妻子迁回平城安葬；如果丈夫后去世葬在洛阳的，不可以随他的妻子回平城安葬。其余各州的人，可以自己决定。”丙辰孝文帝下诏：“迁居洛阳的鲜卑人去世之后，葬在河南，不可以再送回北面。”于是继承人迁到洛阳的，全部为河南洛阳人。

梁　纪

侯景之乱

一

【原文】

东魏司徒、河南大将军、大行台侯景[1]，右足偏短，弓马[2]非其长，而多谋算。诸将高敖曹、彭乐等皆勇冠一时，景常轻之，曰："此属皆如豕突[3]，势何所至！"景尝言于丞相欢："愿得兵三万，横行天下，要须济江缚取萧衍老公[4]，以为太平寺主。"欢使将兵十万，专制河南，杖任若己之半体。

【注释】

①大行台：台省在外者称行台。侯景：鲜卑化羯人。

②弓马：骑射武艺。

③豕（shǐ）突：像野猪一样四处逃窜。

④萧衍老公：萧衍老东西。萧衍，南朝梁武帝。

【译文】

东魏司徒、河南大将军、大行台侯景，右脚短一些，不擅长骑射，但很有谋略。当时，著名将领如高敖曹、彭乐等都骁勇一时，侯景却瞧不起他们，经常轻蔑地说："这些家伙就好像猪一般乱跑，能做出什么大事情来！"侯景曾对丞相高欢说："我想要拥有三万精兵，如此就可以横行于天下，渡江捉拿萧衍这个老东西，让他担任太平寺主一职。”高欢于是让他带领十万精兵，统领河南，依靠、信任他如同自己的半个身体。

【原文】

景素轻高澄[1]，尝谓司马子如[2]曰：“高王在，吾不敢有异。王没，吾不能与鲜卑小儿共事。”子如掩其口。及欢疾笃，澄诈为欢书以召景。先是，景与欢约曰：“今握兵在远，人易为诈，所赐书皆请加微点。”欢从之。景得书无点，辞不至。又闻欢疾笃，用其行台郎颍川王伟[3]计，遂拥兵自固。

【注释】

①高澄：东魏高欢的长子，鲜卑人。

②司马子如：高欢的重臣之一，权倾朝野，但得不到高澄的信任。

③行台郎：官名，大行台所任的郎官，护卫侍从，以备顾问。颍川：郡名，今河南禹州。王伟：侯景最信任的人。

【译文】

侯景一向轻视高澄，曾对司马子如说：“高王在，我从不敢生异心；若高王去世，我也不要再与这个鲜卑小子共事了。”子如立刻将他的嘴堵上。等到高欢身染重病、卧床不起的时候，高澄伪造了高欢的书信将侯景召回。原先侯景与高欢立下约定：“只怕我在外带兵，有些人会图谋不轨，假传书信，以防万一，所以请在每封书信中加小点。”高欢答应了。可侯景得到的这封信并没有点，于是推脱不去。侯景又听说高欢病重，于是决定采纳颍川行台郎王伟的计策，拥兵自重，不服从高澄的命令。

【原文】

太清元年正月，丙午，东魏勃海献武王欢卒。侯景自念己与高氏有隙，内不自安。辛亥，据河南叛，归于魏。颍州[1]刺史司马世云以城应之。景诱执豫州[2]刺史高元成、襄州[3]刺史李密、广州[4]刺史怀朔[5]暴显等。遣军士二百人载仗，暮入西兖州[6]，欲袭取之。刺史邢子才觉之，掩捕，尽获之。因散檄东方诸州，各为之备，由是景不能取。

【注释】

①颍州：今河南许昌。

②豫州：今河南汝南。

③襄州：今河南襄城。

④广州：今河南鲁山。

⑤怀朔：今内蒙古固阳。

⑥西兖（yǎn）州：今河南滑县。

【译文】

太清元年（547）正月丙午，东魏勃海献武王高欢去世。侯景想到自己一直与高氏有矛盾，内心惶恐不安。辛亥，侯景在河南境内发动叛变，归降西魏。颍州刺史司马世云打开城门来响应他。侯景用计诱捕了豫州刺史高元成、襄州刺史李密、广州刺史怀朔暴显等人。接着派遣二百军士携带武器，趁着夜色袭击了西兖州，想要攻克此地。但刺史邢子才早有察觉，因此把侯景派来的人全都捕获了，并发檄文给东魏在东方的各州，告诉他们做好万全的准备，侯景因此失去了夺取州郡的机会。

【原文】

二月，魏以开府仪同三司若干惠为司空，侯景为太傅、河南大行台、上谷公。庚辰，景又遣其行台郎中丁和来，上表言："臣与高澄有隙，请举函谷[1]以东，瑕丘[2]以西，豫、广、颍、荆、襄、兖、南兖、济、东豫、洛、阳、北荆、北扬[3]等十三州内附，惟青、徐[4]数州，仅须折简[5]。且黄河以南，皆臣所职，易同反掌。若齐、宋[6]一平，徐事燕、赵[7]。”上召群臣廷议。尚书仆射谢举等皆曰：“顷岁与魏通和，边境无事，今纳其叛臣，窃谓非宜。”上曰：“虽然，得景则塞北可清，机会难得，岂宜胶柱[8]！”

【注释】

①函谷：汉函谷关，今河南新安境内。

②瑕丘：今山东兖州东北。

③荆：今河南邓州东南。兖：今山东兖州。南兖：今安徽蒙城。济：今山东茌平。东豫：今河南惠县。洛：今河南洛阳。阳：今河南宜阳。北荆：今河南嵩县。北扬：今河南项城。

④青：今山东青州东。徐：今江苏徐州。

⑤折简：书信。

⑥齐、宋：今山东、河南一带。

⑦燕、赵：指今河北地区。

⑧胶柱：用胶封住瑟上的弦柱，以至不能调节音的高低，比喻固执拘泥。

【译文】

二月，魏以开府仪同三司若干惠为司空，侯景为太傅、河南大行台、上谷公。庚辰，侯景又遣派行台郎中丁和来到梁，上表说：“臣和高澄素来不和睦，请让我带着函谷关以东，瑕丘以西，包括豫、广、颍、荆、襄、兖、南兖、济、东豫、洛、阳、北荆、北扬等十三州的广大地区归附朝廷。而青、徐数州，只要写封信送过去就能够使他们归降。而且黄河以南都曾经是臣的执掌之地，想要得到那里可谓轻而易举。如果能够一举将齐、宋之地平定，那么燕、赵之地也有时间慢慢收复。”梁武帝召见百官讨论此事。尚书仆射谢举等人都说：“近来我国与魏的关系和睦，边境也少事端，现在接受魏的叛臣，似乎不是很好。”武帝说：“虽然如此，可是得到侯景就有机会平定北方，机会难得，不能过于固执拘泥。”

【原文】

是岁，正月，乙卯，上梦中原牧守皆以地来降，举朝称庆。旦，见中书舍人朱异[①]，告之，且曰：“吾为人少梦，若有梦，必实。”异曰：“此乃宇内混壹之兆也。”及丁和至，称景定计以正月乙卯，上愈神之。然意犹未决，尝独言：“我国家如金瓯[②]，无一伤缺，今忽受景地，讵[③]是事宜？脱致纷纭[④]，悔之何及？”朱异揣知上意，对曰：“圣明御宇，南北归仰，正以事无机会，未达其心。今侯景分魏土之半以来，自非天诱其衷[⑤]，人赞其谋，何以至此。若拒而不内，恐绝后来之望。此诚易见，愿陛下无疑。”上乃定议纳景。壬午，以景为大将军，封河南王，都督河南北诸军事、大行台，承制[⑥]如邓禹[⑦]故事。

【注释】

①中书舍人：官名，舍人始于先秦，指国君、太子亲近属官。朱异：博学多才，为梁武帝君臣器重。

②金瓯（ōu）：比喻疆土完整坚固。

③讵（jù）：难道。

④脱致纷纭：如果引起纷争。

⑤天诱其衷：上天开导其心意。

⑥承制：秉承皇帝旨意行事。

⑦邓禹：东汉中兴名将。

【译文】

这一年正月乙卯，武帝梦到中原地区的很多地方官都来献地归降，举国同庆。第二天一见到中书舍人朱异，便将梦告诉给他，并且说："我很少做梦，但是如果做梦，就一定会实现。"朱异说："这是天下即将一统的预兆啊！"等到丁和到来，说侯景也是在正月乙卯决定归附的，于是，梁武帝就越发相信梦境的真实了。不过，他还是心存疑虑，曾经自言自语说道："我的国家就像是金瓯一般，无一处损伤，现在忽然接受侯景献地，难道真的适合这样做吗？如果引起纠纷，后悔也来不及了吧？"朱异揣测出皇上的心意，于是对武帝说："圣天子在位，南北归心，只是没有找到合适的时机，所以没有办法将自己的心意表达出来。现在侯景带着东魏一半的土地前来，如果不是上天的意思，人们又在一旁出谋划策的话，怎么可以办到呢？如果拒绝接纳，恐怕只会断送后来人的希望。侯景必然是出自真心，希望陛下不要再怀疑。"于是武帝决定接纳侯景。壬午，任命侯景为大将军，封河南王，管理河南河北的军事及大行台一职，并特意授权他可以像后汉的邓禹那样秉承皇帝旨意发号施令。

【原文】

上遣使吊澄。景又启曰："臣与高氏，衅隙①已深，仰凭威灵，期雪仇耻，今陛下复与高氏连和，使臣何地自处！乞申后战，宣畅皇威！"上报之曰："朕与公大义已定，岂有成而相纳，败而相弃乎！今高氏有使求和，朕亦更思偃武②。进退之宜，国有常制。公但清静自居，无劳虑也！"景又启曰："臣今蓄粮聚众，秣马潜戈③，指日计期，克清赵、魏④，不容军出无名，故愿以陛下为主耳。

今陛下弃臣遐外[⑤]，南北复通，将恐微臣之身，不免高氏之手。”上又报曰：“朕为万乘之主，岂可失信于一物？想公深得此心，不劳复有启也。”

【注释】

①衅（xìn）隙：仇怨，隔阂。

②偃武：停息武备。

③秣（mò）马潜戈：秣马厉兵，磨戈喂马，指做好战斗准备。

④赵、魏：指今河北地区。

⑤遐外：边远荒凉之地。

【译文】

武帝派遣使臣出使东魏吊唁高澄。侯景又上奏说：“臣与高氏的积怨已深，所以希望能够倚仗陛下的威严，有朝一日报仇雪恨。现在陛下又和高氏联合，实在令臣无地自容啊！请陛下应允，日后臣要为陛下和高氏作战，宣扬陛下的龙威。”武帝答复道：“朕与你之间的君臣大义早就已经定下来，哪有你打了胜仗就接纳你，打了败仗就舍弃你的道理呢！如今高氏遣派使者讲和，朕也想要停止战争，锐意文治。进退之间，国家自会有安排。你只需要安享清福就可以，不需要考虑那样多。”侯景又启奏说：“臣现在积蓄粮草，招募士兵，做好战斗的准备，很快就能够攻克赵、魏，只是不容许师出无名，所以愿意以陛下为主。如今陛下将臣派往边远之地，南北朝恢复往来，将来恐怕微臣自身也逃不开高氏的毒手了。”武帝再答复：“朕贵为天子，怎么可以因为一点小事就失信！想来你一定能够明白我的心意，不必再说了。”

【原文】

景乃诈为邺中书，求以贞阳侯[①]易景，上将许之。舍人傅岐曰："侯景以穷归义，弃之不祥，且百战之余，宁肯束手受絷[2]？"谢举、朱异曰："景奔败之将，一使之力耳。"上从之，复书曰："贞阳旦至，侯景夕返。"景谓左右曰："我固知吴老公薄心肠！"王伟说景曰："今坐听亦死，举大事亦死，唯王图之！"于是始为反计，属城[3]居民，悉召募为军士，辄停责市估[4]及田租，百姓子女，悉以配将士。

【注释】

①贞阳侯：萧渊明，梁武帝之侄。

②絷（zhí）：拘囚。

③属城：所属的城池。

④停责：停止征收。市估：估税。

【译文】

于是，侯景伪造了一封东魏的书信，要求用贞阳侯交换侯景，武帝想要答应。舍人傅岐说："侯景是因为到了穷途末路才来归顺，既然已经接受他，现在又要舍弃他，这样做是不对的；况且侯景所经战事无数，怎么会愿意束手就擒呢？"谢举、朱异则说："侯景本就是一介败军之将，只要遣派个使者就能够将他捉拿。"武帝听从了他们的建议，回信说："贞阳侯早上到来，我们晚上就会将侯景遣返。"侯景对身边的人说："我就知道这个人心肠凉薄。"王伟对侯景说："如今奉命也是死，起兵失败了也是死，还希望您可以慎重考虑一下！"于是侯景等人开始密谋造反，将下属诸城的居民全数招募为军士，不再征收商业税与田租，女子也都配与将士。

【原文】

侯景自至寿阳，征求无已[1]，朝廷未尝拒绝。景请娶于王、谢[2]，上曰："王、谢门高非偶，可于朱、张[3]以下访之。"景恚曰："会将吴儿女配奴！"又启求锦[4]万匹为军人作袍，中领军朱异议以青布给之，又以台所给仗[5]多不能精，启请东冶锻工[6]，欲更营造，敕并给之。

【注释】

①已：停止，终止。

②王、谢：南朝门第显赫的两大家族。

③朱、张：南朝高门，比王、谢门第稍低。

④锦：有彩色花纹的丝织品。

⑤台所给仗：中央政府机构所提供的武器。

⑥东冶锻工：官府中专门负责锻造的工匠。东冶是朝廷专门从事冶炼的机构。

【译文】

侯景自从到达寿阳，便开始无休止地需索，朝廷从没有拒绝。侯景请求与王、谢联姻，武帝说："王、谢门第太高与你不是很相称，你不妨在朱、张以下寻找一家合适的。"侯景怒道："迟早有一天，我会把吴地的儿女配给奴隶。"又请求得锦万匹为军人做衣袍，中领军朱异建议给侯景提供青布。侯景又说朝廷提供的武器装备不够好，奏请东冶锻工重新制造。这些要求武帝都答应了他。

【原文】

上既不用景言，与东魏和亲，是后景表疏稍稍悖慢[1]，又闻徐陵[2]等使魏，反谋益甚。元贞[3]知景有异志，累启还朝。景谓曰："河北事虽不果，江南何虑失之，何不小忍！"贞惧，逃归建康，具以事闻。上以贞为始兴内史[4]，亦不问景。

【注释】

①悖（bèi）慢：违逆不敬。

②徐陵：南朝梁陈间著名诗人、文学家。

③元贞：咸阳王元贞。

④始兴：今广东曲江。内史：官名，地方上掌管民政的官员。

【译文】

武帝并没有接受侯景的建议，依然与东魏保持友好关系，后来侯景上奏时的态度就稍微有些不敬，他又听说徐陵等人出使东魏，便更加坚定了反叛的决心。元贞知道侯景有反叛之意，多次上书请求还朝。侯景对他说："河北的事虽然失败了，但是小小的江南又怎么会搞不定，为什么不先忍耐一下呢？"元贞心里十分担心，立刻逃回建康，将侯景的事告诉了武帝，武帝让元贞担任始兴内史，但并没有斥责侯景。

【原文】

鄱阳王范密启景谋反。时上以边事专委朱异，动静皆关之，异以为必无此理。上报范曰："景孤危寄命，譬如婴儿仰人乳哺，以此事势，安能反乎？"范重陈之曰："不早剪扑[①]，祸及生民。"上曰："朝廷自有处分，不须汝深忧也。"范复请以合肥之众讨之，上不许。朱异谓范使曰："鄱阳王遂不许朝廷有一客。"自是范启，异不复为通[②]。

【注释】

①剪扑：扑灭。

②通：转达，上报。

【译文】

鄱阳王萧范秘密上奏说侯景要谋反。当时，武帝将边境的事务都交给朱异负责，一动一静都要及时上报朝廷，朱异认为这件事并不可能。于是武帝答复鄱阳王萧范说：

"侯景在最孤独绝望的时候归附我朝，就像婴儿需要人乳的哺育一样，根据现在的局势来看，侯景怎么可能会造反呢？"鄱阳王萧范再次陈奏："如果不早些除掉侯景的话，将来一定会成为百姓的祸患。"武帝答复："朝廷自有处分，你就不需要如此担心了。"鄱阳王萧范又请求让自己率领军队前去征讨侯景，武帝不答应。朱异对鄱阳王的使者说："鄱阳王就是容不下朝廷有一个宾客。"此后，只要是鄱阳王萧范的奏报，朱异就不再上报朝廷了。

【原文】

景邀羊鸦仁[1]同反，鸦仁执其使以闻。异曰："景数百叛虏，何能为？"敕以使者付建康狱，俄解遣之。景益无所惮[2]，启上曰："若臣事是实，应罹国宪[3]，如蒙照察[4]，请戮鸦仁！"上使朱异宣语答景使曰："譬如贫家，畜十客、五客，尚能得意。朕唯有一客，致有忿言，亦朕之失也。"益加赏赐锦彩钱布，信使相望。

【注释】

①羊鸦仁：当时的司州刺史。

②惮（dàn）：畏惧，害怕。

③罹（lí）国宪：受到国家法律的制裁。

④照察：明察，详细了解。

【译文】

侯景邀请羊鸦仁联合起来反叛，羊鸦仁捉住他的来使上奏。朱异说："侯景不过就只有数百个手下而已，可以做些什么啊？"虽然下令将使者关到了大牢，但没多久又将使者放了出来。侯景于是更加肆无忌惮起来，上奏说："如果臣想要谋反的事情是真的，应该受到律法的制裁；如果陛下明智，知道臣被冤枉，那么就请杀了羊鸦仁。"武帝派朱异宣示上谕答复侯景来使："就像那些贫寒人家，养十客、五客，尚且可以；朕只有一客，却招致这些人的怨言，这着实是朕的过失。"于是赏赐了很多锦彩钱布给侯景表示安慰，两地的信使也是往来不绝。

【原文】

戊戌，景反于寿阳，以诛中领军朱异、少府卿徐驎、太子右卫率陆验、制局监[1]周石珍为名。异等皆以奸佞骄贪，蔽主弄权，为时人所疾，故景托以兴兵。

【注释】

①少府卿：官名，掌皇室所用的山河池泽之税。太子右卫率：官名，掌管太子侍卫。制局监：官名，负责皇室禁卫兵力的部署。

【译文】

戊戌，侯景在寿阳发动叛乱，以诛杀中领军朱异、少府卿徐驎、太子右卫率陆验、制局监周石珍为名。朱异等人全是奸佞之臣，骄奢无度，蒙蔽圣上，玩弄政权，为当时人痛恨，因此侯景以此为借口正式起兵。

二

【原文】

百姓闻景至，竞入城，公私混乱，无复次第，羊侃区分防拟[1]，皆以宗室间之。军人争入武库，自取器甲，所司不能禁，侃命斩数人，方止。是时，梁兴四十七年，境内无事，公卿在位及闾里[2]士大夫罕见兵甲，贼至猝迫，公私骇震。宿将已尽，后进少年并出在外，军旅指㧑[3]，一决于侃，侃胆力俱壮，太子深仗之。

【注释】

①区分防拟：布置城区的防御事务。

②闾里：民间。

③指㧑（huī）：指挥。

【译文】

百姓听说侯景要来了，争相进城，朝廷与民间都陷入混乱之中，完全没有秩序。羊侃分派防御事务，每处都安排皇室成员来监督。军队的官兵争相进入武器库，擅自拿取兵器，有关部门根本无法禁止，羊侃下令砍杀多人，这才将场面控制下来。当时，梁朝建立四十七年，境内太平，相安无事，朝中公卿及民间的士大夫都很少见到武器。现在叛军突然到来，情势危急，朝廷上下无不震惊。当时有经验的将领大都已经去世，后进少年能够作战的又都在外领兵，军旅指挥，完全仰仗于羊侃。羊侃胆力俱壮，太子十分器重他。

【原文】

辛亥，景至朱雀桁[①]南，太子以临贺王正德守宣阳门，东宫学士新野[②]庾信守朱雀门，帅宫中文武三千余人营桁北。太子命信开大桁[③]以挫其锋，正德曰："百姓见开桁，必大惊骇，可且安物情。"太子从之。俄而景至，信帅众开桁，始除一舶，见景军皆着铁面，退隐于门。信方食甘蔗，有飞箭中门柱，信手甘蔗，应弦而落，遂弃军走。南塘游军[④]沈子睦，临贺王正德之党也，复闭桁度景。太子使王质将精兵三千援信，至领军府，遇贼，未陈而走。正德帅众于张侯桥迎景，马上交揖，既入宣阳门，望阙而拜，歔欷[⑤]流涕，随景度淮。景军皆着青袍，正德军并着绛袍，碧里，既与景合，悉反其袍。景乘胜至阙下，城中恟惧，羊侃诈称得射书云："邵陵王、西昌侯[⑥]援兵已至近路。"众乃少安。西丰公大春弃石头，奔京口，谢禧、元贞弃白下走，津主[7]彭文粲等以石头城降景，景遣其仪同三司于子悦守之。

【注释】

①朱雀桁（héng）：朱雀桥。桁，指浮桥。

②新野：今河南新野。

③开大桁：将浮桥拆除。

④南塘游军：秦淮河南的军队。

⑤歔欷（xū xī）：抽泣。

⑥邵陵王：萧纶。西昌侯：萧渊藻。

⑦津主：负责要塞的长官。

【译文】

辛亥，侯景来到朱雀桥南，太子派临贺王萧正德在宣阳门内驻守，东宫学士新野庾信在朱雀门驻守，自己率领宫中文武官员三千多人在浮桥北面扎营。太子本想命庾信砍掉浮桥以挫对方的锐气，萧正德却说："百姓如果见到浮桥断裂，一定会大惊失色，还是暂时让大家安心的好。"太子默然接受了。不一会儿，侯景等人赶到了。庾信带着人拆除浮桥，才解开一艘浮船，就看见侯景军都戴着铁面具冲杀上来，庾信于是率兵立刻退后，隐藏起来。庾信正吃甘蔗，此时正好有一个飞箭射中门柱，庾信手里的甘蔗也应声落地，在惊惧万分之下，庾信竟然舍弃军队慌忙逃走了。南塘游军将领沈子睦与萧正德是一伙儿的，又将浮桥修好让侯景的军队通过。太子命令王质带领精兵悍将三千多人前去支援庾信，才刚到领军府，就与叛军正面相遇，连兵阵都没有列就慌乱逃跑了。萧正德率领众人在张侯桥迎接侯景，见面之后交揖行礼，然后进入宣阳门，对着宫门行跪拜之礼，感叹抽泣与侯景能够一起渡过秦淮。侯景的军队都穿青袍，正德的军队都穿绛袍，里子是绿色的，和侯景军碰头之后，就将袍子反过来穿。侯景乘胜追到宫门，城中百姓惊恐万分，羊侃假装得到了射书说："邵陵王、西昌侯的援军就要到了。"众人才稍微平定了一会儿。西丰公萧大春丢弃石头城往京口方向逃走了。谢禧、元贞放弃白下落荒而逃。津主彭文粲一众献上石头城投降了侯景。侯景派他的仪同三司于子悦镇守石头城。

【原文】

壬子，景列兵绕台城①，幡②旗皆黑，射启于城中曰："朱异等蔑弄朝权，轻作威福，臣为所陷，欲加屠戮。陛下若诛朱异等，臣则敛辔③北归。"上问太子："有是乎？"对曰："然。"上将诛之。太子曰："贼以异等为名耳，今日杀之，无救于急，适足贻笑④将来，俟贼平，诛之未晚。"上乃止。

【注释】

①台城：宫城。

②幡（fān）：旗帜。

③辔（pèi）：驾驭牲口的嚼子和缰绳。

④贻笑：见笑。

【译文】

壬子，侯景带领军队包围了宫城，旗子为统一的黑色。他命人将奏章射入城内，奏章上写着："朱异等人弄权乱政，擅作威福，臣被他们陷害，所以才想要杀死他们。若陛下可以帮臣诛杀朱异等人，臣就会带兵北归。"武帝问太子："真的有这样的事情吗？"太子答道："有的。"武帝于是想要杀了朱异等人。太子说："侯景只是将朱异等人作为借口，今日即便将他们杀了，也无济于事，只会被将来的人笑话，等到结束叛乱再杀他们也不迟。”武帝想了想觉得有道理，于是放弃了。

【原文】

景绕城既匝[①]，百道俱攻，鸣鼓吹唇，喧声震地，纵火烧大司马、东、西华诸门。羊侃使凿门上为窍，下水沃火[②]，太子自捧银鞍，往赏战士，直阁将军朱思帅战士数人逾城[③]出外洒水，久之方灭。贼又以长柯斧斫[④]东掖门，门将开，羊侃凿扇为孔，以槊[⑤]刺杀二人，斫者乃退。景据公车府[⑥]，正德据左卫府，景党宋子仙据东宫，范桃棒据同泰寺。景取东宫妓数百，分给军士。东宫近城，景众登其墙射城内。至夜，景于东宫置酒奏乐，太子遣人焚之，台殿及所聚图书皆尽。景又烧乘黄厩、士林馆、太府寺。

【注释】

①匝（zā）：环绕一圈。

②沃火：用水将火浇灭。

③逾城：翻墙出城。

④长柯斧：长柄斧子。斫：砍。

⑤槊（shuò）：长矛。

⑥公车府：掌管宫门的官署。

【译文】

侯景的军队呈合围之势列好，一起进攻，鸣鼓吹唇，喧声震天，不仅如此，他还放火烧了大司马门、东华门、西华门。羊侃派人在门上凿了很多洞，灌水救火；太子亲自捧着银鞍，赏赐给有功的士兵；直阁将军朱思率领战士们翻墙出城洒水，用了很长时间才将火扑灭。叛军又用长柄斧砍东掖门，门快要被砍开的时候，羊侃在门扇上凿孔，用长矛刺杀了两人，并击退了砍门的人。侯景、萧正德、宋子仙、范桃棒分别占领了公车府、左卫府、东宫、同泰寺。侯景得到了东宫乐妓将近百人，然后分配给军士们。东宫距离皇宫很近，侯景等人登上东宫的墙向城内射箭。到了深夜，侯景又在东宫设酒宴，看歌舞。太子让人放火烧宫，东宫的建筑和所聚图书全部化为灰烬。侯景又放火烧毁了乘黄厩、士林馆、太府寺等地方。

【原文】

景初至建康，谓朝夕可拔，号令严整，士卒不敢侵暴①。及屡攻不克，人心离沮，景恐援兵四集，一旦溃去，又食石头常平诸仓②既尽，军中乏食，乃纵士卒掠夺民米及金帛子女。是后米一升直七八万钱，人相食，饿死者什五六。

【注释】

①侵暴：侵犯骚扰。

②石头常平诸仓：石头城中政府官的仓。

【译文】

侯景刚刚来到建康时，原本以为能够迅速攻克建康，所以下令严整，士兵都不敢强取豪夺。直到建康屡攻不克，士气逐渐衰退。侯景担心一旦四方的援军到来，自己的军队就会溃散，再加上石头城常平等仓库中的粮食也已经吃完，军中缺粮现象严重，于是侯景就放纵士卒掠夺百姓的粮食、金帛、子女。之后，一升米值七八万钱，人们相互残杀啃食，十分之五六的人饿死了。

【原文】

乙丑，景于城东、西起土山，驱迫士民，不限贵贱，乱加殴捶①，疲羸②者因杀以填山，号哭动地。民不敢窜匿[3]，并出从之，旬日间，众至数万。城中亦筑土山以应之。

【注释】

①殴捶：殴打。

②羸（léi）：身体瘦弱。

③窜匿：逃跑或躲藏起来。

【译文】

乙丑，侯景在城东、城西垒起土山，驱赶逼迫士民，不论贵贱，甚至不分青红皂白就胡乱殴打，杀死疲劳瘦弱的人用来填补山沟，以致哭声动地。百姓不敢藏躲，都只能乖乖出来听命。用作防御手段的工程在短短十天的时间里，已经聚集几万人。建康城中也建造起土山对付侯景建造的土山。

三

【原文】

俄而景遣王伟入文德殿奉谒[1]，上命褰帘开户[2]引伟入，伟拜呈景启，称："为奸佞所蔽，领众入朝，惊动圣躬，今诣阙待罪[3]。"上问："景何在？可召来。"景入见于太极东堂，以甲士五百人自卫。景稽颡殿下，典仪引就三公榻[4]。上神色不变，问曰："卿在军中日久，无乃为劳！"景不敢仰视，汗流被面。又曰："卿何州人，而敢至此，妻子犹在北邪？"景皆不能对。任约从旁代对曰："臣景妻子皆为高氏所屠，唯以一身归陛下。"上又问："初度江有几人？"景曰："千人。""围台城几人？"曰："十万。""今有几人？"曰："率土之内，莫非己有。"上俯首不言。

【注释】

①奉谒（yè）：拜见。

②褰（qiān）帘开户：开门，将帘子掀起来。

③诣阙待罪：到宫门请罪。

④三公榻：三公的座位。

【译文】

攻破建康城之后不久侯景就派遣王伟入文德殿拜见，武帝让人掀开帘子引王伟进来，王伟将侯景的书信呈递给武帝，自称："臣因为受到奸佞的蒙蔽，才领兵入朝，惊动了圣驾，如今在宫门处请罪。"武帝问："侯景在什么地方？可以让他进来。"侯景在太极殿东堂入见，随身带了五百名甲士护卫。侯景在殿下叩首，典仪引领他在三公榻坐下。武帝神色坦然，问道："你在军中的时间很长，真是辛苦了。"侯景不敢抬头看武帝，面部大汗淋漓。武帝又问："你是什么地方的人啊？你今天敢来到这里，你的妻子还在北方吗？"侯景都不能对答。任约在旁边代答道："臣景的妻子、儿女都被高氏所杀，只有他一个人归附于陛下。"武帝又问："你当初渡江时有多少人跟随你？"侯景答："有上千人。""你围城时又有多少人跟随你？"侯景答："有十万将士。""那么现在呢？"侯景答："率土之内，已经全部都是我一个人的了。"武帝低头不语。

【原文】

景复至永福省见太子，太子亦无惧容。侍卫皆惊散，唯中庶子徐摛、通事舍人陈郡①殷不害侧侍。摛谓景曰："侯王当以礼见，何得如此！"景乃拜。太子与言，又不能对。

【注释】

①中庶子：东宫属官。徐摛（chī）：人名。通事舍人：东宫官员，掌管传达令旨，内外启奏。陈郡：今河南项城。

【译文】

侯景再到永福省觐见太子，太子的脸上也没有惊恐之色。侍卫们都因为害怕跑掉了，只有中庶子徐摛、通事舍人陈郡人殷不害在身边服侍。徐摛对侯景说："侯王应该以礼相见，为何如此无礼！"侯景这才跪拜。太子与他说话，侯景还是不能回答。

四

【原文】

建康士民逃难四出。上虽外为侯景所制，而内甚不平。景欲以宋子仙为司空[①]，上曰："调和阴阳，安用此物！"景又请以其党二人为便殿主帅[②]，上不许。景不能强，心甚惮之。太子入，泣谏，上曰："谁令汝来！若社稷有灵，犹当克复，如其不然，何事流涕！"景使其军士入直省中，或驱驴马，带弓刀，出入宫廷，上怪而问之，直阁将军周石珍对曰："侯丞相甲士。"上大怒，叱石珍曰："是侯景，何谓丞相！"左右皆惧。是后上所求多不遂志，饮膳亦为所裁节，忧愤成疾。太子以幼子大圜[③]属湘东王绎，并剪爪发以寄之。五月，丙辰，上卧净居殿，口苦，索蜜不得，再曰："荷！荷！"遂殂[④]。年八十六。景秘不发丧，迁殡于昭阳殿，迎太子于永福省，使如常入朝。王伟、陈庆皆侍太子，太子呜咽流涕，不敢泄声，殿外文武皆莫之知。

【注释】

①司空：负责最高国务的长官。

②便殿主帅：正殿以外的别殿主帅，负责宫廷警卫。

③大圜（huán）：人名，太子之子。

④殂（cú）：死亡。

【译文】

建康百姓四处逃散，武帝虽然在行动上被侯景所控制，但是内心依然不平。侯景想要让宋子仙担任司空一职，武帝说："这是调和阴阳的职位，怎么可以用宋子仙这样的人呢？"侯景又想要让他的手下担任便殿主帅，武帝拒不应允。侯景不可以逼迫他答应，所以心里非常忌惮他。太子入见武帝，痛哭着劝说武帝。武帝说："是谁让你来的？如果先祖有灵，还可以复国，如果不能的话，哭又有什么用呢？"侯景派遣身边的将领进驻省中，将士们有的驱驴马，有的带弓刀，肆无忌惮地在宫廷出入，武帝感觉十分奇怪，追问是什么人，直阁将军周石珍答说："是侯丞相的甲士。"武帝因此大怒，呵斥周石珍道："侯景就是侯景，哪里有什么丞相呢？"服侍武帝的人都很恐惧。因此后来武帝的要求大多不会被满足，就连饮食也有所缩减，武帝忧郁成疾。太子将幼子大圜嘱托给湘东王萧绎，并且将剪下的指甲头发寄给他。五月初二，武帝在净居殿睡觉的时候，口里觉得苦涩，想要喝蜂蜜却不能，接连说着："荷！荷！"随后便去世了，享年八十六岁。侯景决定秘不发丧，将灵柩搁置在昭阳殿上，然后让太子从永福省进来，像往常一样入朝。王伟、陈庆都跟随在太子身边，太子流泪，却不敢出声，文武百官全都不知道武帝已经驾崩的事情。

陈　纪

杨坚篡周

一

【原文】

周杨后[①]性柔婉，不妒忌，四皇后[②]及嫔、御等，咸爱而仰之。天元[③]昏暴滋甚[④]，喜怒乖度[⑤]，尝谴后，欲加之罪。后进止详闲，辞色不挠[⑥]，天元大怒，遂赐后死，逼令引诀[⑦]，后母独孤氏诣阁陈谢[⑧]，叩头流血，然后得免。

【注释】

①周杨后：北周宣帝宇文赟的正室杨皇后，杨坚的女儿。

②四皇后：周宣帝立了五位皇后，除了杨后，剩下的四位皇后分别为朱氏、陈氏、元氏、尉迟氏。

③天元：周宣帝。

④滋甚：指变本加厉。

⑤乖度：违背常理。

⑥不挠（náo）：不屈服。

⑦引诀：自杀。

⑧独孤氏：杨坚之妻，杨皇后母亲。诣（yì）阁陈谢：到皇宫请罪。

【译文】

北周宣帝的杨皇后生性柔婉，从不妒忌。四位皇后和后宫嫔御都十分敬爱与尊敬她。宣帝昏庸无度，喜怒无常，时常斥责杨皇后，想要治罪于她。杨皇后态度淡然，言辞神色间都毫不屈服，宣帝大怒，下令将杨皇后赐死，逼迫她自裁。杨皇后的母亲独孤氏来到皇帝面前请罪，把头叩出了血来，杨皇后才得以幸免。

【原文】

后父大前疑坚[1]，位望隆重，天元忌之，尝因忿谓后曰："必族灭尔家！"因召坚，谓左右曰："色动，即杀之。"坚至，神色自若，乃止。内史上大夫郑译[2]，与坚少同学，奇坚相表，倾心相结。坚既为帝所忌，情不自安，尝在永巷[3]，私于译曰："久愿出藩[4]，公所悉也，愿少留意！"译曰："以公德望，天下归心，欲求多福，岂敢忘也，谨即言之。"

【注释】

①大前疑：古官名。坚：隋朝的开国之君。

②内史上大夫：北周官名，辅佐统治者。郑译：仕北周，官内史上大夫，参决朝政。与杨坚为同学，辅佐其代周建隋。

③永巷：深巷。

④出藩：担任地方官员。

【译文】

杨皇后的父亲杨坚，地位尊贵，声势显赫，宣帝一直对他心怀忌惮，曾经在盛怒之下斥责杨皇后说："我一定将你家灭族！"于是召见杨坚，对左右说："仔细观察杨坚的脸色，如果有什么异样，就立刻将他杀了。"杨坚来到之后，神态自若，宣帝这才放心，暂且放了他。内史上大夫郑译与杨坚少时是同学，认为杨坚仪表堂堂，是一个非常难得的人物，因此倾心与他结交。郑译杨坚既然已经被宣帝猜疑，心中总是惴惴不安，曾经在深巷中悄悄地对郑译说："我一直期盼着可以当上地方官，这你也清楚，还请你帮我多留心啊。"郑译说："以你的德望必定可以让天下臣民归心，我想要为将来求多福，怎么敢忘记你的事情呢？我一定会找合适的机会帮你进言的。"

【原文】

天元将遣译入寇[①]，译请元帅。天元曰："卿意如何？"对曰："若定江东，自非懿戚[②]重臣，无以镇抚，可令随公行，且为寿阳总管以督军事。"天元从之。己丑，以坚为扬州总管，使译发兵会寿阳。将行，会坚暴[③]有足疾，不果行。

【注释】

①入寇：指向南征讨陈朝。

②懿戚：皇亲国戚。

③暴：突然。

【译文】

宣帝想要派遣郑译南征，郑译请求宣帝任命元帅。宣帝问道："在众人之中，你觉得谁最合适呢？"郑译答道："要想平定江东，若不是皇亲贵胄，是无法镇服军队的。倒不如让随公出行，同时，任命他为寿阳总管以掌管军事。"宣帝很爽快地答应了。己丑，以杨坚为扬州总管，派郑译发兵南征。快要出征的时候，杨坚突然得了脚病，没能成行。

【原文】

甲午夜，天元备法驾，幸天兴宫。乙未，不豫而还。小御正博陵[①]刘昉，素以狡谄[②]得幸于天元，与御正中大夫[③]颜之仪并见亲信。天元召昉、之仪入卧内，欲属[④]以后事，天元喑[⑤]，不复能言。昉见静帝[⑥]幼冲，以杨坚后父，有重名，遂与领内史郑译、御史大夫柳裘、内史大夫杜陵韦謩、御正下士朝那皇甫绩谋引坚辅政。坚固辞，不敢当。昉曰："公若为，速为之，不为，昉自为也。"坚乃从之，称受诏居中侍疾。

【注释】

①小御正：官名。北周所置。博陵：今河北安平。

②狡谄：狡猾，善于奉承。

③御正中大夫：官名。北周所置。

④属：同"嘱"，嘱托。

⑤喑（yīn）：哑，不能说话。

⑥静帝：宇文阐，宣帝之子，当时只有八岁。

【译文】

甲午夜里，宣帝准备好马车前往天兴宫。乙未，宣帝感觉身体不适返回宫中。小御正博陵人刘昉因素来喜欢阿谀奉承而得到宣帝的宠信，他与御正中大夫颜之仪都是宣帝最亲近和信任的人。宣帝召刘昉、颜之仪进入寝殿，想要吩咐后事，但当时宣帝的嗓子已经哑到不能说话。刘昉知道静帝的年龄还小，而杨坚是皇后的父亲，十分有声望，于是与领内史郑译、御史大夫柳裘、内史大夫杜陵韦謩、御正下士朝那人皇甫绩商讨之后决定让杨坚辅政。杨坚坚决推辞，说自己不敢承受如此重任。刘昉说："您如果能够出任辅政，请即刻接受任命；如果不肯接受，我自己就会接受这个职务。"杨坚这才勉强答应，对外说是奉宣帝诏留在宫中侍奉宣帝。

【原文】

是日，帝殂，秘不发丧。昉、译矫诏以坚总知中外兵马事。颜之仪知非帝旨，拒而不从。昉等草诏署讫[1]，逼之仪连署[②]，之仪厉声曰："主上升遐[③]，嗣子冲幼，阿衡[④]之任，宜在宗英。方今赵王最长，以亲以德，合膺[⑤]重寄。公等备受朝恩，当思尽忠报国，奈何一旦欲以神器[⑥]假人！之仪有死而已，不能诬罔先帝。"昉等知不可屈，乃代之仪署而行之。诸卫[⑦]既受敕，并受坚节度[⑧]。

【注释】

①讫：完毕，结束。

②连署：共同署名。

③升遐：帝王过世较为委婉的叫法。

④阿衡：指国家辅弼之任，宰相的职责。

⑤膺（yīng）：接受。

⑥神器：比喻皇权。

⑦诸卫：各禁卫军。

⑧节度：节制，指挥。

【译文】

当天，宣帝就驾崩了，众人商议之后决定秘不发丧。刘昉、郑译假传圣旨，任命杨坚总管中外兵马事。颜之仪知道这并不是宣帝的意思，坚决不肯执行命令。刘昉等人草拟好诏书，各自签上姓名，逼颜之仪签字，颜之仪厉声喊道："主上驾崩，嗣子年幼，辅政的大任应该交由宗室内有能力者，现在赵王的年龄最大，不管是从与皇室的亲近程度还是德行上看，都应该由他担此重任。你们备受朝恩，就应该想着尽忠报国，怎么可以将皇权轻而易举地交到外人手中呢！之仪今日宁愿一死，也不能欺骗先帝。"刘昉等人知道他死也不会从命，就代替颜之仪签了字，之后颁布了诏书。各禁卫军都接受敕令，听从杨坚的指挥。

【原文】

坚恐诸王在外生变，以千金公主[①]将适[②]突厥为辞，征赵、陈、越、代、滕五王[③]入朝。坚索符玺，颜之仪正色曰："此天子之物，自有主者，宰相何故索之！"坚大怒，命引出，将杀之，以其名望，出为西边郡守。

丁未，发丧，静帝入居天台，罢正阳宫，大赦，停洛阳宫作。

【注释】

①千金公主：北周武帝的侄女。

②适：嫁。

③赵、陈、越、代、滕五王：赵王宇文招、陈王宇文纯、越王宇文盛、代王宇文达、滕王宇文逌。

【译文】

杨坚担心宗室诸王会在外生出什么变动，就假借千金公主将要远嫁突厥的名义，将赵、陈、越、代、滕五王征召入朝。杨坚索要符印和玉玺，颜之仪神态严厉地说道："符玺是属于天子之物，自然有合适的人掌管，宰相为什么索要呢？"杨坚大怒，命人将颜之仪拉出去，原本想要将他杀掉，但顾及他的威望，所以将他发配到西边担任郡守。

丁未，北周为去世的天元皇帝发丧。静帝进入居天台，下令废除正阳宫的名称。然后颁布诏书广赦天下，停止洛阳宫的修建工程。

二

【原文】

坚初受顾命[①]，使邗国公[②]杨惠谓御正下大夫李德林[③]曰："朝廷赐令总文武事，经国任重，今欲与公共事，必不得辞。”德林曰：“愿以死奉公。”坚大喜。始，刘昉、郑译议以坚为大冢宰[4]，译自摄大司马[5]，昉又求小冢宰[6]。坚私问德林曰：“欲何以见处？”德林曰：“宜作大丞相、假黄钺[7]、都督中外诸军事，不尔，无以压众心。”及发丧，即依此行之，以正阳宫为丞相府。

【注释】

①顾命：帝王临终前的遗命。

②邗（hán）国公：官爵名。

③李德林：隋初名臣。

④大冢宰：周官名。为六卿之首，亦称太宰。

⑤大司马：官名，南北朝以大将军、大司马为“二大”。

⑥小冢宰：北周官名。

⑦黄钺（yuè）：以黄金装饰的斧，是权力与威望的象征。

【译文】

杨坚在接受宣帝遗命时，就遣派邗国公杨惠对御正下大夫李德林说：“朝廷赐令总管文武事宜，身兼重任，我想要与您一同处理朝政，请千万不要推辞。”李德林说：“我愿以死侍奉杨公。”杨坚十分高兴。最初刘昉、郑译商议，想要让杨坚担任大冢宰，郑译自己担任大司马，刘昉任小冢宰。杨坚在私底下偷偷问李德林：“对于这件事，你觉得我如何处理比较妥当呢？”李德林说：“应当做大丞相、假黄钺、都督中外诸军事，不然的话，不能慑服众人。”为宣帝发丧之后，杨坚立刻按照李德林的建议行事，并且将正阳宫改为丞相府。

【原文】

时众情未壹，坚引司武上士卢贲[1]置左右。将之东宫，百官皆不知所从，坚潜令贲部伍仗卫[2]，因召公卿，谓曰："欲求富贵者宜相随。"往往偶语[③]，欲有去就[④]。贲严兵而至，众莫敢动。出崇阳门，至东宫，门者拒不纳，贲谕之，不去，瞋目叱[⑤]之，门者遂却，坚入。贲遂典[⑥]丞相府宿卫。以郑译为丞相府长史，刘昉为司马，李德林为府属，二人由是怨德林。

【注释】

①司武上士：北周武官名。卢贲（bēn）：字子徵，涿郡范阳人。

②部伍仗卫：率领手中握有武器的侍卫。

③偶语：聚在一起窃窃私语。

④去就：舍取。

⑤叱（chì）：大声斥责。

⑥典：掌管。

【译文】

那时，朝廷还不稳定，杨坚任用司武上士卢贲随侍左右。杨坚将要前往东宫，百官都不知道是不是要跟随他。杨坚私底下让卢贲安排好全副武装的禁卫，之后召集百官说："想要求得富贵的人就跟随我。"一时之间，百官不知如何是好，窃窃私语，犹豫着想要离开。此时卢贲带着全副武装的禁卫进入，众人无一敢动。杨坚与百官出崇阳门，到东宫，门卫不让他们进入，卢贲将情况告诉了他们，门卫依然不让他们进去。卢贲瞪大眼睛呵斥，门卫害怕了不断向后退却，杨坚于是率领众人进入东宫。接着，卢贲掌管了丞相府宿卫。而后，杨坚让郑译担任丞相府长史，刘昉担任司马，李德林担任府属，郑、刘二人因此对李德林心生怨恨。

【原文】

内史下大夫勃海高颎[①]明敏有器局，习兵事，多计略，坚欲引之入府，遣杨惠谕意。颎承旨，欣然曰：“愿受驱驰[②]，纵令公事不成，颎亦不辞灭族。”乃以为相府司录[③]。

【注释】

①高颎（jiǒng）：隋代名相，杨坚最为倚重的宰相。

②驱驰：比喻奔走效力。

③相府司录：丞相府属官。

【译文】

内史下大夫勃海高颎是个心胸宽广性情明敏的人，且熟悉兵法，计谋颇多。杨坚想要收为己用，派杨惠向高颎转达自己的意愿。高颎欣然接受说：“愿听从丞相的安排。即便令公不能够一举成功，高颎遭到灭族之祸也在所不辞。”于是杨坚让他做相府司录。

【原文】

时汉王赞居禁中，每与静帝[①]同帐而坐。刘昉饰美妓进赞，赞甚悦之，昉因说赞曰：“大王，先帝之弟，时望所归，孺子幼冲[②]，岂堪大事！今先帝初崩，群情尚扰，王且归第，待事宁后，入为天子，此万全计也。”赞年少，性识庸下，以为信然[③]，遂从之。

【注释】

①静帝：《通鉴》误记，应当为“杨坚”，当时杨坚是左丞相，汉王是右丞相。

②孺子：孩童。幼冲：年幼。

③信然：信以为真。

【译文】

那时，汉王宇文赞居住在宫里，每次都与杨坚同帐而坐。刘昉经常进献美妓给汉王宇文赞，宇文赞十分开心。

刘昉借机对宇文赞说："大王是先帝的亲弟弟，可以说是众望所归。当今天子的年纪还小，怎么可以担当大事呢？现在先帝初崩，人情纷扰，汉王还不如暂时归第，等到局势稍稍稳定之后，再回来称帝，这不失为一个万全之策。"汉王宇文赞年轻，见识平庸，认为刘昉的话很有道理，就听从了他的意见。

【原文】

坚革宣帝苛酷之政，更为宽大，删略旧律，作《刑书要制》，奏而行之，躬履[1]节俭，中外悦之。

【注释】

①躬履：亲身奉行。

【译文】

杨坚宣布废除宣帝统治时期施行的严酷统治，改行宽大之政，修改原来的法令，作《刑书要制》，上奏之后颁行。他亲身奉行节俭之道，朝野上下因此十分尊敬他。

隋　纪

杨广夺嫡

一

【原文】

时太子勇①失爱于上，潜②有废立之志，从容③谓颎曰："有神告晋王妃，言王必有天下，若之何？"颎长跪④曰："长幼有序，其可废乎！"上默然而止，独孤后知颎不可夺⑤，阴欲去之。

【注释】

①太子勇：杨勇，隋文帝杨坚的长子，最初为太子，后被废。

②潜：暗地里，私底下。

③从容：淡定，不慌忙。

④长跪：直身而跪。

⑤夺：改变想法。

【译文】

当时，太子杨勇不讨隋文帝杨坚的喜欢，杨坚私底下想过废立之事，他在闲暇的时候对宰相高颎说："有神灵告诉晋王妃，说晋王一定可以坐拥天下，你觉得是这样吗？"高颎直身而跪，说："长幼有序，太子是嫡子，身份尊贵，怎么能够废掉呢？"文帝不再说什么了。独孤皇后知道高颎不会轻易改变自己的想法，所以想要私下里除掉他。

二

【原文】

初，上使太子勇参决军国政事，时有损益，上皆纳之。勇性宽厚，率意任情①，无矫饰之行。上性节俭，勇尝文饰蜀铠②，上见而不悦，戒之曰："自古帝王未有好奢侈而能久长者，汝为储后③，当以俭约为先，乃能奉承宗庙。吾昔日衣服，各留一物，时复观之以自警戒，恐汝以今日皇太子之心忘昔时之事，故赐汝以我旧所带刀一枚，并菹酱④一合，汝昔作上士⑤时常所食也。若存记前事，应知我心。"

【注释】

①率意：按照自己的本意。任情：恣意。

②铠（kǎi）：铠甲，盔甲。

③储后：储君。

④菹（zū）酱：酱菜。

⑤上士：军衔，军士的最高一级。

【译文】

最初，文帝让太子杨勇参与国家政事的讨论，太子经常会提出自己的意见，有所兴革的，文帝都会欣然接受。太子杨勇生性敦厚，行事直率，没有虚假妄为的行为。文帝为人节俭，杨勇曾因为装饰自己从蜀地获得的铠甲，让文帝很不开心。于是文帝告诫他说："自古以来，从没有爱好奢侈却长久的皇帝，你既然身为储君，就应该以身作则，以节俭为先，这样才能够继承宗庙。我以前穿过的衣服，你都分别留下一件，时不时地拿出来看看，以此警告自己。我怕你因为如今成了太子而忘记之前的事情，所以将我之前带的一枚刀，还有一盒酱菜给你，酱菜是你之前担任上士的时候经常吃的。如果你还记得之前的事情，那么你就能够了解我的良苦用心。"

三

【原文】

勇多内宠，昭训[1]云氏尤幸，其妃元氏无宠，遇心疾[2]，二日而薨，独孤后意有他故，甚责望勇。自是云昭训专内政，生长宁王俨、平原王裕、安成王筠[3]，高良娣生安平王嶷[4]、襄城王恪[5]，王良媛生高阳王该、建安王韶[6]，成姬生颍川王煚[7]，后宫生孝实、孝范。后弥不平，颇遣人伺察，求勇过恶。晋王广[8]知之，弥自矫饰，唯与萧妃居处，后庭有子皆不育[9]，后由是数称广贤。大臣用事者，广皆倾心与交。上及后每遣左右至广所，无贵贱，广必与萧妃迎门接引，为设美馔[10]，申以厚礼，婢仆往来者，无不称其仁孝。上与后尝幸其第，广悉屏匿[11]美姬于别室，唯留老丑者，衣以缦彩[12]，给事左右，屏帐改用缣素[13]，故绝乐器之弦，不令拂去尘埃。上见之，以为不好声色，还宫，以语侍臣，意甚喜。侍臣皆称庆，由是爱之特异诸子。

【注释】

①昭训：皇太子侧室的名号。

②心疾：劳思、忧愤引发的疾病。

③筠（jūn）：杨勇之子。

④嶷（yí）：杨勇之子。

⑤恪（kè）：杨勇之子。

⑥韶（sháo）：杨勇之子。

⑦煚（jiǒng）：杨勇之子。

⑧广：杨广，隋文帝杨坚次子，即隋炀帝，历史上著名的暴君。

⑨不育：不养育。

⑩馔（zhuàn）：食物。

⑪屏匿：隐藏。

⑫缦（màn）彩：没有花纹的丝织品。

⑬缣（jiān）素：双丝织成的细绢。

【译文】

太子杨勇有很多宠妃，他特别宠幸昭训云氏。太子妃元氏因为不受宠，心疾复发，没两天就死了。独孤皇后怀疑此事另有隐情，对杨勇百般责备。自此以后，云昭训主理东宫内政，相继诞下长宁王杨俨、平原王杨裕、安成王杨筠；高良娣诞下安平王杨嶷、襄城王杨恪；王良媛诞下高阳王杨该、建安王杨韶；成姬诞下颍川王杨煚；后宫生杨孝实、杨孝范。皇后因此更加不高兴，派了很多人对东宫进行侦察，寻找杨勇的过失。晋王杨广知道后，就更加伪装自己，只和王妃萧氏住在一起，侧室生下孩子他也不养育。皇后为此多次夸赞杨广的仁德。只要大臣手中握有实权的，杨广都会与他们交心。文帝与皇后多次派人到杨广的府邸，不管高低贵贱，杨广一定会与萧妃一同到门口迎接，准备丰盛的饮食，赠送厚礼。只要与杨广有过来往的婢仆，都称赞他的仁孝。文帝和皇后到他的府第时，杨广将美姬全都藏到别的房间，屋子里只留下一些穿着俭朴的老丑奴仆，在身边伺候；屏帐也换成了俭朴细绢布料，还命人故意将乐器的弦弄断，不让将上面的尘土扫掉。文帝见到这些，认为他不好声色，回宫之后就告诉了身边的侍臣，言语间很是高兴。侍臣都向文帝庆贺，从此，文帝对杨广更加疼爱了，远超对其他儿子的喜爱程度。

【原文】

上密令善相者来和遍视诸子，对曰："晋王眉上双骨隆起，贵不可言。"上又问上仪同三司韦鼎："我诸儿谁得嗣位？”对曰：“至尊、皇后所最爱者当与之，非臣敢预知也”。上笑曰：“卿不肯显言[1]邪！”

【注释】

①显言：清楚地说出来。

【译文】

文帝暗中让人来为各位皇子看相，看相的说：“晋王杨广眉上双骨隆起，是贵不可言之相啊。”文帝又问上仪同三司韦鼎：“在我的众多儿子中，谁能够继承皇室基业呢？”韦鼎答道：“陛下和皇后最喜欢谁，就应该让谁来继承，这并非臣子可以预测的啊！”文帝微微一笑，说：“你是不愿意说得更清楚呀！”

【原文】

晋王广美姿仪，性敏慧，沉深严重，好学，善属文[1]，敬接朝士，礼极卑屈，由是声名籍[2]甚，冠于诸王。

【注释】

①属文：撰写文章。

②籍（jí）：盛大。

【译文】

晋王杨广不管是仪表还是行为都十分出众。他生性聪慧，性格沉稳，喜欢学习，善于写文章，尊敬相交的朝士，礼貌谦虚待人。杨广也因此而声名大噪，在诸王中赢得较高的声望。

【原文】

广为扬州总管，入朝，将还镇，入宫辞后，伏地流涕，后亦泫然[1]泣下。广曰：“臣性识愚下，常守平生昆弟[2]之意，不知何罪失爱东宫，恒蓄成怒，欲加屠陷。每恐谗谮生于投杼[3]，鸩[4]毒遇于杯勺，是用勤忧积念，惧履危亡。”后忿然曰：“睍地伐[5]渐不可耐，我为之娶元氏女，竟不以夫妇礼待之。专宠阿云，使有如许豚犬[6]。前新妇[7]遇毒而夭，我亦不能穷治[8]，何故复于汝发如此意？我在尚尔，我死后，当鱼肉[9]汝乎！每思东宫竟无正嫡，至尊千秋万岁之后，遣汝等兄弟向阿云儿前再拜问讯，此是几许苦痛邪！”广又拜，呜咽不能止，后亦悲不自胜，自是后决意欲废勇立广矣。

【注释】

①泫（xuàn）然：流泪的样子。

②昆弟：兄弟。

③谗谮（zèn）生于投杼（zhù）：比喻流言可畏或诬枉之祸。谮，恶言中伤。杼，梭子。

④鸩（zhèn）：传说中的一种毒鸟，将它的羽毛放到酒水里，能够毒死人。

⑤地伐：太子杨勇的小名。

⑥豚（tún）犬：对不成器的儿子的蔑称。

⑦新妇：儿媳。

⑧穷治：追究。

⑨鱼肉：摧残。

【译文】

杨广被任为扬州总管，入朝之后要立刻去镇守扬州。他在入宫辞别皇后时，忍不住趴在地上流泪，皇后也痛哭不已。杨广说：“臣天生愚蠢，但是一直安守兄弟之谊，今日不知道什么地方得罪了东宫，他带着积蓄已久的怒气，想要加害于我。我常常担心他会在母后面前污蔑我，也担心他会在我的饮食中下毒，所以忧虑不堪，只担心会遭人陷害。”皇后愤怒地说：“地伐真的是让人无法忍受了，我为他娶了元氏女，他竟然不以夫妇之礼相待，专宠阿云，生下了不成器的孩子。前些日子太子妃被人下毒害死，我也不能追究，为何现在他又会对你生出这般歹毒的念头？我在他都敢这样，我死了，你们还不得成为他的俎下肉吗？每次想起东宫竟然没有嫡长子，陛下百年之后，要让你们兄弟在阿云的儿子面前行礼，我简直是痛苦万分啊！”杨广又深深地磕头，呜咽得不能说话，皇后也很是伤心难过。从此，皇后更加下定决心要废黜太子杨勇，改立杨广为太子。

【原文】

广与安州总管宇文述①素善，欲述近己，奏为寿州刺史。广尤亲任总管司马张衡②，衡为广画③夺宗之策。广问计于述，述曰：“皇太子失爱已久，令德不闻于天下，大王仁孝著称，才能盖世，数经将领，频有大功，主上之与内宫，咸所钟爱，四海之望，实归大王。然废立者国家大事，处人父子骨肉之间，诚未易谋也。然能移主上意者，唯杨素④耳，素所与谋者唯其弟约。述雅知约，请朝京师，与约相见，共图之。”广大悦，多赍⑤金宝，资述入关。

【注释】

①宇文述：鲜卑族，隋朝名将。

②总管司马：总管属官。张衡：杨广的心腹。

③画：谋划。

④杨素：隋朝著名将相。在文帝废立太子事件中，杨素是举足轻重的人物。

⑤赍（jī）：送钱给人。

【译文】

杨广和安州总管宇文述的交情一直很好，想要他为自己所用，于是杨广请奏皇上让宇文述担任寿州刺史一职。杨广对总管司马张衡十分信任，张衡为杨广谋划了夺嫡之策。杨广向宇文述问计，宇文述说："太子失宠已久，再加上天下之人也没有述说他有什么好德行的。而大王素来以仁孝著称于天下，才能盖世，几次领兵出征，建立不少功勋，最重要的是，您一直受到陛下与皇后的喜爱。天下人的希望都归于大王。但是废立太子是国家大事，这关乎父子亲情，着实不是一件简单的事情。如今可以让陛下改变心意的，只有杨素一人，而能够和杨素谈论大事的又只有他的亲弟弟杨约。我和杨约素来交往密切，请大王让我到京师朝见时与杨约相见，一同谋划这件事情。"杨广大喜，给了宇文述大量金宝资助他入朝。

【原文】

约时为大理少卿①，素凡有所为，皆先筹②于约而后行之。述请约，盛陈器玩，与之酣畅，因而共博③，每阳④不胜，所赍⑤金宝尽输之约。约所得既多，稍以谢述。述因曰："此晋王之赐，令述与公为欢乐耳。"约大惊曰："何为尔？"述因通广意，说之⑥曰："夫守正履道，固人臣之常致，反经合义⑦，亦达者之令图⑧。自古贤人君子，莫不与时消息⑨以避祸患。公之兄弟，功名盖世，当涂用事有年矣，朝臣为足下家所屈辱者，可胜数哉！又，储后以所欲不行，每切齿于执政⑩，公虽自结于人主，而欲危公者固亦多矣！主上一旦弃群臣⑪，公亦何以取庇！今皇太子失爱于皇后，主上素有废黜之心，此公所知也。今若请立晋王，在贤兄之口耳。诚能因此时建大功，王必永铭骨髓，斯则去累卵之危，成太山之安也。”约然之，因以白素。素闻之，大喜，抚掌曰：“吾之智思，殊不及此，赖汝启予。”约知其计行，复谓素曰：“今皇后之言，上无不用，宜因机会早自结托，则长保荣禄，传祚子孙。兄若迟疑，一旦有变，令太子用事，恐祸至无日矣！”素从之。

【注释】

①大理少卿：掌管刑狱的官员。

②筹：办法。

③博：古时的一种棋戏，后泛指赌博。

④阳：假装。

⑤赍（jī）：带着。

⑥说之：劝说他。

⑦反经合义：虽违背常道，但仍符合义理。

⑧令图：善谋，远大的谋略。

⑨与时消息：指事物无常，随着时间的推移而兴盛衰亡。

⑩执政：宰相。

⑪弃群臣：皇帝故去。

【译文】

杨约当时担任大理少卿的职位，杨素遇到任何事情，都会先和他商量然后再行动。宇文述邀请杨约，将器玩全部摆出来赏玩，与他聊天畅饮，之后对赌，宇文述常常假装不胜，将所携带的金宝全都输给杨约。杨约得到很多金宝，于是向宇文述表示感谢。宇文述就对他说：“这些东西都是晋王赐给你的，晋王嘱咐我只要让您高兴就可以了。”杨约大惊说：“他为什么会这样做？”宇文述趁机把杨广的意思告诉了他，劝说他：“遵循正道，固然是人臣的常理。

可是，即便有违天道却符合常理，这并不失为通达者长远之计啊。自古贤人君子，没有不根据事物的变化而改变的，如此才可以趋避祸患。足下兄弟，功名盖世，掌权已经很久，足下家所得罪的朝臣数不胜数！而且，太子因为自己的要求时常遭到拒绝，每次都会痛恨宰相。您虽然跟随陛下，但是想要扳倒您的臣子不在少数啊！陛下一旦离世，抛弃群臣，您又应该到哪里寻找庇护呢？现在太子失宠于皇后，陛下又一直存在废黜之心，这些您都是了解的。如今，请立晋王，不过就是令兄的一句话而已啊。要是能够在这个时候立下大功，晋王一定会永远记在心上，如此对足下兄弟来说，也就避免了危难，成就之后的稳固权势。”杨约认为他的话很有道理，于是将此事转告了杨素。杨素听到之后十分欢喜，连连拍手叫好：“我的智慧还想不到这里，幸亏你启发了我。”杨约知道计划可行了，又对杨素说：“当今皇后说的话，陛下都会听从，应该找机会早早地与皇后接近，事成之后自然能够长保荣华，传给子孙后世。兄长如果犹豫不决，一旦局势有所变动，陛下让太子掌权，只怕大祸临头啊。”杨素听从了他的话。

四

【原文】

后数日，素入侍宴，微称“晋王孝悌[①]恭俭，有类至尊”，用此揣[②]后意，后泣曰：“公言是也！吾儿大孝爱，每闻至尊及我遣内使到，必迎于境首，言及违离，未尝不泣。又其新妇亦大可怜，我使婢去，常与之同寝共食。岂若睍地伐与阿云对坐，终日酣宴，昵近小人，疑阻骨肉！我所以益怜阿[③]麽者，常恐其潜杀之。”素既知后意，因盛言太子不才，后遂遗素金，使赞上废立。

【注释】

①悌（tì）：敬爱兄长，这里泛指尊敬比自己年长的人。

②揣：试探。

③阿：晋王杨广的小名。

【译文】

几天之后，杨素入宫侍宴，稍微提到“晋王孝悌恭俭，很像陛下”的话，想要借着这样的话刺探皇后的心意。皇后流着眼泪说：“您说得是。我的儿子十分孝顺，每一次听说陛下和我遣派内使去过，一定会到边境上迎接；说到要离开我们，总是会哭泣不止。而且晋王妃也十分可爱，我派侍女去，王妃时常与她们同寝共食。不像地伐和阿云那般，终日设宴酣饮，亲近小人，猜忌骨肉！我如今对杨广更加怜惜了，时常担心太子会暗中杀掉杨广。”杨素知道了皇后的心意，就开始说太子的不是。皇后于是送给杨素很多财宝，让他劝说文帝废太子。

【原文】

上遂疏忌勇，乃于玄武门①达至德门②量置候人③，以伺动静，皆随事奏闻。又，东宫宿卫之人，侍官④以上，名籍悉令属诸卫府，有勇健者咸屏去⑤之。出左卫率⑥苏孝慈为淅州⑦刺史，勇愈不悦。太史令⑧袁充言于上曰：“臣观天文，皇太子当废。”上曰：“玄象久见，群臣不敢言耳。”

【注释】

①玄武门：皇宫正北门。

②至德门：皇宫东北门。

③候人：军中侦伺敌情的人。

④侍官：在宫廷中轮番宿卫的军士。

⑤屏去：退除。

⑥左卫率：统带东宫侍卫的武职官员。

⑦淅州：今河南淅川。

⑧太史令：官名，掌管测算历法。

【译文】

文帝开始渐渐疏远杨勇，于是在玄武门到至德门之间安置侦伺敌情的人，以观察太子的举动，随时上报。另外，东宫宿卫中侍官以上的人员，其名字都要报告到诸卫府，其中勇猛的全都被调走了，还把左卫率苏孝慈调走担任淅州刺史，太子杨勇因此很不开心。太史令袁充上奏文帝说："臣夜观天象，皇太子应该被废黜。"文帝说："天象早已经出现，只是群臣不敢直接挑明而已。"

五

【原文】

素乃显言之曰："臣奉敕向京，令皇太子检校①刘居士余党。太子奉诏，作色奋厉②，骨肉飞腾③，语臣云：'居士党尽伏法，遣我何处穷讨！尔作右仆射，委寄不轻，自检校之，何关我事！'又云：'昔大事不遂，我先被诛，今作天子，竟乃令我不如诸弟，一事以上，不得自遂！'因长叹回视云：'我大觉身妨④。'"上曰："此儿不堪承嗣久矣，皇后恒劝我废之。我以布衣时所生，地复居长，望其渐改，隐忍至今。勇尝指皇后侍儿谓人曰：'是皆我物。'此言几许异事！其妇初亡，我深疑其遇毒，尝责之，勇即怼⑤曰：'会杀元孝矩⑥。'此欲害我而迁怒耳。长宁⑦初生，朕与皇后共抱养之，自怀彼此，连遣来索。且云定兴女，在外私合而生，想此由来，何必是其体胤[8]！昔晋太子取屠家女，其儿即好屠割。今傥非类，便乱宗祏[9]。我虽德惭尧、舜，终不以万姓付不肖子！我恒畏其加害，如防大敌，今欲废之以安天下！”

【注释】

①检校：调查。

②作色奋厉：神情凶狠。

③骨肉飞腾：形容太子怒气冲天的样子。

④妨：妨碍，受限。

⑤怼（duì）：怨恨。

⑥元孝矩：隋臣，太子妃元氏的父亲。

⑦长宁：太子杨勇的长子长宁王杨俨，云昭训所生。

⑧体胤：亲生的后代。

⑨宗祏（shí）：宗庙中藏神主的石室，借指宗庙、宗祠。

【译文】

于是，杨素明确地说：“臣奉敕来京，让太子追查刘居士的余党。太子奉诏后，神色凌厉，十分生气地对臣说：‘刘居士的余党已经全部伏法认罪，让我到哪里去追讨！你作为右仆射，身负重任，应该自己追查此事，和我有什么关系！’又说：‘当年以隋代周，如果大事不遂，我就会先被杀死，现在做了太子，我的处境竟然还不如诸弟，任何一件事情都不能自己做主。’又长叹回顾说：‘我着实觉得自己处处受到限制。’”文帝说：“此儿不能胜任太子这个位置已经很久了，皇后也一直劝我将他废除，但是我顾念他是我平民时所生的儿子又是嫡子，希望他可以有所改过，所以才隐忍至今。杨勇曾经指着皇后的侍女对人说：‘这些都是我的。’这句话听上去很奇怪。太子妃突然离世，我怀疑她是被人毒死的，曾责备过他，杨勇就怨恨地说：‘总有一天我会杀了元孝矩（太子妃的父亲）。’这明明是想要加害于我而将怒气牵引到别人身上。长宁王刚刚出生的时候，朕与皇后一起抱养他，他心里有其他的打算，连连派人索要。何况此子是他和云定兴之女在外私生的，如此出身想来未必是真正的皇室血脉。之前晋太子娶了屠家女，他的孩儿就爱好屠割。倘若长宁王并不是太子的后代，那就等同于是混乱宗室。我虽然没有尧、舜那样的德行，但是终究不能将天下的子民交给不肖之子。我始终担心他会加害于我，像防备大敌一样防备着他。所以，现在我想要废太子以安天下。”

【原文】

左卫大将军①五原公元旻谏曰：“废立大事，诏旨若行，后悔无及。谗言罔极②，惟陛下察之。”上不应，命姬威悉陈太子罪恶。

【注释】

①左卫大将军：禁军大将军之一。

②罔极：没有穷尽。

【译文】

左卫大将军五原公元旻劝谏说：“废立太子是国家大事，诏书一旦颁布，后悔就来不及了啊。谗言无穷无尽，陛下一定要明察啊。”文帝不听，命令姬威陈述太子的所有罪恶。

唐 纪

玄武之变

【原文】

初，齐王元吉劝太子建成除秦王世民[①]，曰：“当为兄手刃之！”世民从上幸元吉第，元吉伏护军[②]宇文宝于寝内，欲刺世民，建成性颇仁厚，遽[③]止之。元吉愠[④]曰：“为兄计耳，于我何有！”

【注释】

①齐王元吉劝太子建成除秦王世民：唐高祖李渊有四子，长子李建成，次子李世民，三子早逝，四子李元吉。李建成被立为太子，和齐王李元吉的关系甚好。

②护军：唐初秦王府和齐王府各置左右六府护军，武官的职位。

③遽（jù）：急，仓促。

④愠（yùn）：生气。

【译文】

当初，齐王李元吉曾劝说太子李建成将秦王李世民除掉。他说：“我一定会为兄长亲手把他杀掉！”李世民跟随高祖李渊来到李元吉的府邸，李元吉派护军宇文宝隐藏在卧室里，想要乘机杀死李世民。李建成为人厚道，立刻阻止了他。李元吉因此很生气，说道：“这都是为兄长打算，跟我有什么关系呢！”

【原文】

建成擅募长安及四方骁勇二千余人为东宫卫士，分屯左、右长林①，号长林兵。又密使右虞候率可达志从燕王李艺发幽州突骑②三百，置宫东诸坊③，欲以补东宫长上④，为人所告。上召建成责之，流可达志于巂州⑤。

【注释】

①屯：驻军防守。左、右长林：长林门，太极宫东宫的宫门。

②突骑：精锐骑兵。

③坊：官署。

④长（cháng）上：武官名。唐时九品，其职为守边和宿卫宫禁。

⑤巂（xī）州：今四川西昌地区。

【译文】

太子李建成没有得到高祖李渊的同意，就擅自招募长安与各地的勇猛男子两千多人担任东宫的守卫，分别驻守在左、右长林门，称为长林兵。李建成又私下里派了右虞候率可达志在燕王李艺那里征发幽州三百精锐骑兵，安排在皇宫东面的各个官署中，想要补充东宫禁卫军，结果遭人举报。高祖召见李建成，对他大加责备，并且将可达志流放至巂州。

【原文】

杨文幹尝宿卫东宫，建成与之亲厚，私使募壮士送长安。上将幸仁智宫，命建成居守，世民、元吉皆从。建成使元吉就图①世民，曰："安危之计，决在今岁！"又使郎将尔朱焕、校尉②桥公山以甲遗文幹。二人至豳州③，上变，告太子使文幹举兵，使表里相应，又有宁州④人杜凤举亦诣宫言状。上怒，托他事，手诏召建成，令诣行在⑤。建成惧，不敢赴。太子舍人⑥徐师謩劝之据城举兵，詹事主簿[7]赵弘智劝之贬损车服，屏从者，诣上谢罪，建成乃诣仁智宫。未至六十里，悉留其官属于毛鸿宾堡[8]，以十余骑往见上，叩头谢罪，奋身自掷[9]，几至于绝。上怒不解，是夜，置之幕下，饲以麦饭，使殿中监[10]陈福防守，遣司农卿[11]宇文颖驰召文幹。颖至庆州，以情告之，文幹遂举兵反。上遣左武卫将军钱九陇与灵州都督杨师道击之。

【注释】

①图：图谋。

②郎将：武官名，秦置，主宿卫、车骑。校尉：为武散官低品官号。

③豳（bīn）州：今陕西彬州。

④宁州：今甘肃宁县。

⑤行在：皇帝所在的地方。

⑥太子舍人：东宫属官，掌文书。

⑦詹事主簿：东宫属官，类似于秘书官。

⑧毛鸿宾堡：今陕西淳化西。

⑨奋身自掷：将头碰地，表示自责。

⑩殿中监：殿中省长官，掌管皇帝生活起居之事。

⑪司农卿：官名，掌国家仓廪。

【译文】

杨文幹曾任东宫侍卫的职位。李建成素来与他的关系很好，暗地里派他招募勇猛之士遣送到长安。高祖前往仁智宫时，让李建成在长安留守，李世民、李元吉二人跟随圣驾。李建成让李元吉施计乘机除掉李世民，并说：“安危之计，就在今年决定了！”接着，又派郎将尔朱焕、校尉桥公山把铠甲送给了杨文幹。结果这两个人到豳州之后，就向皇帝告发太子秘密指使杨文幹起兵造反，与太子内外呼应的事情。另外，宁州人杜凤举也来到仁智宫告发太子的事情。高祖龙颜大怒，用其他的事情作为借口，火速召见李建成，让李建成奉旨前来皇帝居住的行宫。李建成心中畏惧，不敢前往。太子舍人徐师謩让他以长安城作为自己的起兵地点造反，而詹事主簿赵弘智则让他不乘车、贬损服饰、不带手下，单独前去向皇上谢罪。于是李建成赶往仁智宫。李建成一行人出发不到六十里，李建成就下令把全部的守卫留在毛鸿宾堡，仅带了十几个人骑马去见皇帝，向皇上磕头请罪，磕头自责得几乎都要断命了。高祖的怒气却始终没有消除，当天夜里，把太子安置在幕下，供应粗糙的麦饭，派殿中监陈福防守，又派司农卿宇文颖驰召杨文幹。宇文颖来到庆州，把太子的事情一五一十地告诉了杨文幹，杨文幹于是起兵造反。高祖派左武卫将军钱九陇与灵州都督杨师道迎战。

【原文】

甲子，上召秦王世民谋之，世民曰："文幹竖子，敢为狂逆，计府僚已应擒戮，若不尔，正应遣一将讨之耳。"上曰："不然。文幹事连建成，恐应之者众。汝宜自行，还，立汝为太子。吾不能效隋文帝自诛其子，当封建成为蜀王。蜀兵脆弱，他日苟能事①汝，汝宜全之，不能事汝，汝取之易耳！"

【注释】

①事：同"侍"，侍奉。

【译文】

甲子，高祖召见李世民商讨关于杨文幹造反的事情。李世民说："杨文幹这个人，竟然胆敢做出如此大逆不道的事情，想来他手下的人应该已经把他捉拿砍杀了。如果不是这样的话，那么朝廷就应该遣派一员猛将去讨伐他。”高祖说：“并不是这样的。杨文幹的事与建成有关，只怕会有很多人响应他。你应该自己出征讨伐，得胜回朝，那么我就让你当太子。但我不能效仿隋文帝诛杀自己的儿子，到时候我会封建成为蜀王。蜀兵力量微薄，不堪一击，如此，以后若他能够忠心于你，你就应当保全他；如果他做不到的话，你也容易制伏他。”

【原文】

上[①]以仁智宫在山中，恐盗兵猝发，夜，帅宿卫南出山外，行数十里，东宫官属将卒继至者，皆令三十人为队，分兵围守之。明日，复还仁智宫。

【注释】

①上：指皇上，高祖李渊。

【译文】

高祖由于仁智宫建在山中，担心有叛军会突然发难，于是连夜率领宿卫从南面出山，行进了几十里。东宫官属和将卒纷纷赶来，一律编为三十人一队，分别包围看守起来。第二天，高祖再返回仁智宫。

【原文】

世民既行，元吉与妃嫔更迭为建成请，封德彝复为之营解[①]于外，上意遂变，复遣建成还京师居守。惟责以兄弟不睦，归罪于太子中允[②]王珪、左卫率韦挺、天策兵曹参军[③]杜淹，并流于巂州。挺，冲之子也。初，洛阳既平，杜淹久不得调，欲求事建成。房玄龄以淹多狡数，恐其教导建成，益为世民不利，乃言于世民，引入天策府。

【注释】

①营解：营救。

②太子中允：东宫属官。

③天策兵曹参军：秦王的天策上将府属官。

【译文】

李世民率兵出征之后，李元吉和后宫的妃嫔们都为李建成说情，封德彝又在外面营救李建成，高祖因此改变了主意，再一次让李建成回到长安留守，只是责备他不该与兄弟不和，却将所有的罪责都归结到太子中允王珪、左卫率韦挺、天策兵曹参军杜淹头上，把他们放逐到巂州。韦挺，是韦冲的儿子。起初，洛阳之乱平定之后，杜淹很长时间都得不到调任，于是想要侍奉李建成。房玄龄认为杜淹狡猾多计，担心他会借此煽动李建成，对李世民更加不利，于是就向李世民进言，将杜淹引入了天策府。

【原文】

上校猎城南，太子、秦、齐王皆从，上命三子驰射角胜[①]。建成有胡马，肥壮而喜蹶[②]，以授世民曰："此马甚骏，能超[③]数丈涧[④]。弟善骑，试乘之。"世民乘以逐鹿，马蹶，世民跃立于数步之外，马起，复乘之，如是者三，顾谓宇文士及曰："彼欲以此见杀，死生有命，庸何伤乎！"建成闻之，因令妃嫔谮之于上曰："秦王自言，我有天命，方为天下主，岂有浪死[⑤]！"上大怒，先召建成、元吉，然后召世民入，责之曰："天子自有天命，非智力可求，汝求之一何急邪！"世民免冠顿首，请下法司案验。上怒不解，会有司奏突厥入寇，上乃改容，劳勉世民，命之冠带，与谋突厥。闰月，己未，诏世民、元吉将兵出豳州以御突厥，上饯之于兰池[⑥]。上每有寇盗，辄命世民讨之，事平之后，猜嫌益甚。

【注释】

①角胜：争夺输赢。

②蹶（juě）：马后腿向后踢。

③超：越过，跨过。

④涧：山间流水的沟。

⑤浪死：徒然死去，白白送死。

⑥兰池：在今陕西咸阳东。

【译文】

高祖前往城南狩猎，太子李建成、秦王李世民、齐王李元吉都跟随在侧，高祖下令让三个人比赛骑射决定胜负。李建成有一匹胡马，虽然肥壮但是经常尥蹶子，李建成把这匹马送给了李世民，并说："这马很神骏，几丈宽的水沟都可以越过去。二弟善于骑射，不妨试一试。"李世民骑马逐鹿，马开始不停地尥蹶子，李世民跃出几步之后站稳，待到马逐渐安静下来之后，再一跃而起，跳上马背，如此反复几次，李世民转身对宇文士及说："他们想要借助这样的方式将我杀死，但死生有命，又如何能够伤害我呢！"李建成听说了，就让妃嫔在高祖面前说李世民的坏话："秦王自己说，我有天命，将来必定可以成为天下的主人，又怎么会白白死掉呢？"高祖因此很生气，先召见李建成、李元吉，之后召见李世民，严厉斥责他说："天子自有天命，并不是凭借智慧与勇猛就可以得来的，你未免也太着急了吧！"李世民摘去帽子磕头谢罪，请求把他交由法司进行处理。高祖仍然怒气不止，就在这时候有人上奏说突厥入侵，高祖这才变了脸色，安慰勉励李世民，让他重新戴好帽子，与他商议讨伐突厥的事情。闰月己未，高祖下诏让李世民、李元吉带兵出豳州抵御突厥，在兰池为他们饯行。每次一发生战事，高祖就会让秦王世民出征平定，可等到战事平定之后，对李世民的猜疑就会更深。

【原文】

武德九年，秦王世民既与太子建成、齐王元吉有隙，以洛阳形胜[①]之地，恐一朝有变，欲出保之，乃以行台工部尚书温大雅镇洛阳，遣秦府车骑将军荥阳张亮将左右王保等千余人之洛阳，阴结纳山东豪杰以俟变，多出金帛，恣[②]其所用。元吉告亮谋不轨，下吏考验，亮终无言，乃释之，使还洛阳。

【注释】

①形胜：地理位置优越。

②恣（zì）：放纵，无拘无束。

【译文】

武德九年（626），秦王李世民因为与太子李建成、齐王李元吉有了嫌隙，想到洛阳地形险要，害怕将来有一天发生战事，因此想要据守洛阳自保。于是便让行台工部尚书温大雅去镇守洛阳，派秦府车骑将军荥阳张亮率左右王保等一千多人到洛阳，私底下结识当地的豪杰以便为变乱做准备，并拿出大量的金银珠宝，让他们随便使用。元吉告发张亮图谋不轨，于是抓了他交付法司审讯，而张亮什么都没说，最后无奈只得将他放掉，并让他返回洛阳。

【原文】

建成夜召世民，饮酒而鸩之，世民暴[①]心痛，吐血数升，淮安王神通[②]扶之还西宫。上幸西宫，问世民疾，敕建成曰："秦王素不能饮，自今无得复夜饮！"因谓世民曰："首建大谋，削平海内，皆汝之功。吾欲立汝为嗣[③]，汝固辞，且建成年长，为嗣日久，吾不忍夺也。观汝兄弟似不相容，同处京邑，必有纷竞，当遣汝还行台[④]，居洛阳，自陕以东皆主之。仍命汝建天子旌旗，如汉梁孝王故事。”世民涕泣，辞以不欲远离膝下。上曰：“天下一家，东、西两都，道路甚迩[5]。吾思汝即往，毋烦悲也。”将行，建成、元吉相与谋曰：“秦王若至洛阳，有土地甲兵，不可复制，不如留之长安，则一匹夫[6]耳，取之易矣。”乃密令数人上封事[7]，言：“秦王左右闻往洛阳，无不喜跃，观其志趣，恐不复来。”又遣近幸之臣以利害说上。上意遂移，事复中止。

【注释】

①暴：猝然而强烈。

②淮安王神通：高祖李渊的堂弟。

③嗣（sì）：继承人。

④行台：台省在外者称行台。

⑤迩：近。

⑥匹夫：泛指寻常的个人。

⑦封事：密封的奏章。

【译文】

李建成在深夜召见李世民，请他喝酒并乘机在酒里面下毒。酒后，李世民忽然感觉心痛不已，吐了很多血，淮安王李神通将他扶回西宫。高祖来到西宫看望李世民，询问了他的病情之后，下诏书给李建成说：“秦王向来不能饮酒，往后再也不要夜饮了。”对李世民说：“首倡起兵的大事，平定海内，都要归功于你。我原本想要让你当太子，但是你坚决不肯。更何况建成是长子，又做了那么久的太子，我实在不忍心废掉他。我看你们兄弟似乎不能相容，一起待在长安一定会发生纷争，我派你回行台，驻于洛阳，陕州以东都奉你号令。还要为你建天子旌旗，如汉梁孝王那般。”李世民于是痛哭流涕，一再推说不愿离开高祖。高祖说："天下原本就是一家，西京与东都距离并不远，我想念你了就会去看你，不要再难过了。"秦王就要出发了，李建成、李元吉密谋："秦王一旦抵达洛阳，那里有土地有军队，就没有办法再控制了，不如将他留在长安，那么他不过就是个普通人，想要遏制他也很容易。"于是他们密令几个人上奏皇上，说："秦王左右听说要去洛阳，都高兴得很，再看秦王的志向所在，只怕这一去就再也不会回来了。"接着，又派皇帝亲近宠信的大臣以利害关系劝说高祖。高祖于是改变了想法，秦王去洛阳的事情也就搁置了。

【原文】

建成、元吉与后宫日夜谮诉世民于上，上信之，将罪世民。陈叔达谏曰："秦王有大功于天下，不可黜也。且性刚烈，若加挫抑，恐不胜忧愤，或有不测之疾[1]，陛下悔之何及！"上乃止。元吉密请杀秦王，上曰："彼有定天下之功，罪状未著，何以为辞？"元吉曰："秦王初平东都，顾望不还，散钱帛以树私恩，又违敕命，非反而何？但应速杀，何患无辞？"上不应。

【注释】

①不测之疾：指不好的事情，危险的事情。

【译文】

李建成、李元吉和后宫嫔妃每天都在高祖李渊的身边说李世民的坏话，高祖慢慢也就相信了，准备治李世民的罪。陈叔达劝谏说："秦王对统一天下立下汗马功劳，不可废除。再加上秦王的性情刚烈，如果大力压制，只担心他会受不了这样的忧伤，或许会发生什么危险的事情，到时候陛下后悔就来不及了。"高祖也就不再追究。李元吉秘密地向高祖奏请杀秦王，高祖说："秦王安定天下，功不可没，罪状还没有显现，又有什么理由杀死他呢？”李元吉说：“秦王在平定东都之初，迁延观望迟迟不返回长安，广施财物树立自己的恩德，又违抗父皇的诏命，这难道不是造反吗？就应该立刻处死他，哪还用得着担心找不到理由呢？”高祖不肯答应。

【原文】

秦府僚属皆忧惧不知所出。行台考功郎中房玄龄谓比部郎中长孙无忌①曰：“今嫌隙已成，一旦祸机窃发，岂惟府朝涂地②，乃实社稷之忧，莫若劝王行周公之事③以安家国。存亡之机，间不容发④，正在今日！”无忌曰：“吾怀此久矣，不敢发口；今吾子所言，正合吾心，谨当白之。”乃入言世民。世民召玄龄谋之，玄龄曰：“大王功盖天地，当承大业，今日忧危，乃天赞也，愿大王勿疑！”

【注释】

①长孙无忌：唐太宗李世民的内兄，文德顺圣皇后的哥哥，唐太宗身边重要的谋臣之一。

②涂地：彻底败坏。

③周公之事：西周时，成王年幼，辅政的周公旦诛杀叛乱的管叔、蔡叔等诸侯，安定天下。

④间不容发：中间容不下一根头发。比喻与灾祸相距极近，情势危急。

【译文】

秦府的幕僚下属都很害怕，不知道该怎么办才好。行台考功郎中房玄龄对比部郎中长孙无忌说：“现在秦王与太子之间的嫌隙已经产生，一旦事情发作，不仅王府与朝廷会受到损害，也是国家的大祸啊。不如劝秦王效法周公诛管、蔡之事以安定皇室和国家。如今正处于存亡之际，间不容发，机会就在此时了。”长孙无忌说：“我早就有过这样的想法，只是没有胆量说出来，现在您的话正符合我心，我一定会对秦王说的。”于是他就向秦王进言。李世民召见房玄龄一同商议此事，房玄龄说：“大王功盖天地，就应该继承大统。如今局势危急，是上天在帮助我们，希望您不要再犹豫不决了。”

【原文】

建成、元吉以秦府多骁将，欲诱之使为己用，密以金银器一车赠左二副护军尉迟敬德①，并以书招之曰：“愿迂长者之眷，以敦布衣之交。”敬德辞曰：“敬德，蓬户瓮牖②之人，遭隋末乱离，久沦逆地③，罪不容诛。秦王赐以更生之恩，今又策名藩邸，唯当杀身以为报。于殿下无功，不敢谬当重赐。若私交殿下，乃是贰心，徇利忘忠④，殿下亦何所用！”建成怒，遂与之绝。敬德以告世民，世民曰：“公心如山岳，虽积金至斗，知公不移，相遗但受，何所嫌也！且得以知其阴计，岂非良策！不然，祸将及公。”既而元吉使壮士夜刺敬德，敬德知之，洞开重门，安卧不动，刺客屡至其庭，终不敢入。元吉乃谮敬德于上，下诏狱讯治，将杀之。世民固请，得免。又谮左一马军总管程知节⑤，出为康州⑥刺史。知节谓世民曰：“大王股肱⑦羽翼尽矣，身何能久！知节以死不去，愿早决计。”又以金帛诱右二护军段志玄，志玄不从。建成谓元吉曰：“秦府智略之士，可惮者独房玄龄、杜如晦耳。”皆谮之于上而逐之。

【注释】

①左二副护军：和下文的左一马军总管、右二护军等类似，都是唐

初王府的武职官员。尉迟敬德：唐朝初年著名大将。

②蓬户瓮牖（wèng yǒu）：指贫苦人家。蓬户，用蓬草编成的门户。瓮牖，用破瓮做的窗户。

③久沦逆地：指尉迟敬德在降唐之前曾为刘武周效力。

④徇利忘忠：见利忘义。

⑤程知节：唐初名将。

⑥康州：今甘肃成县。

⑦股肱（gōng）：比喻左右辅佐得力的人。

【译文】

李建成、李元吉觉得秦王府中有很多骁勇善战的将士，想要收买为己用，于是暗地里把一车金银宝器送给左二副护军尉迟敬德，并且写信道："我希望能够得到您的顾念，建立我们之间诚恳的友谊。"尉迟敬德辞谢道："敬德身份卑微，且因为隋末乱世，一直沦落于叛逆的境地，实在罪不容诛。秦王对我有重生之恩，现在我又成为秦王的属下，唯有一死才可以报答秦王的知遇之恩。敬德没有为殿下立过什么功劳，不敢谬当厚赐。如果暗地里与殿下交往，就成了怀有二心的臣子，为了追求功名利禄将'忠心'二字抛到脑后，这样的人对于殿下来说又有什么用处呢！"李建成发怒，不再和他结交。尉迟敬德将这件事告诉了李世民。李世民说："您的心意如山岳般坚定，我知道即便有成斗的黄金放在您面前，您的意志都不会动摇。如果太子再给您什么，您就收下吧，不要有什么顾忌。这样还可以知道他们的阴谋，难道不是上策吗？不然的话，您很有可能会惹祸上身。"不久李元吉派壮士在夜里去行刺尉迟敬德，尉迟敬德知道之后，把大门都打开，安卧不动，刺客多次来到他的庭院，终究不敢进去。李元吉就在高祖面前诬陷尉迟敬德，皇帝下诏将尉迟敬德投入狱中接受审讯拷打，想要将他杀掉。李世民一直为他求情，尉迟敬德才免于死罪。李元吉又诬陷左一马军总管程知节，于是高祖把他外放到康州担任刺史。程知节对李世民说："大王左右得力的人都被调走，您的安稳就不长久了。知节宁死不去，希望您早早将计划定下来。"太子他们又用财货引诱右二护军段志玄，段志玄誓死不肯。李建成对李元吉说："秦府有谋略之士，可以担心的只有房玄龄、杜如晦。"于是在高祖面前说房玄龄、杜如晦的坏话，想让高祖把他们赶走。

【原文】

世民腹心唯长孙无忌尚在府中，与其舅雍州治中[1]高士廉、左候车骑将军三水侯君集[2]及尉迟敬德等，日夜劝世民诛建成、元吉。世民犹豫未决，问于灵州大都督李靖[3]，靖辞；问于行军总管李世勣[4]，世勣辞；世民由是重二人。

【注释】

①治中：官名，为州刺史的高级佐官之一。

②三水：今陕西旬邑北。侯君集：唐朝名将，凌烟阁二十四功臣之一。

③李靖：唐朝名将。

④行军总管：武官名。李世勣（jì）：本姓徐，入唐后赐姓李，后避唐太宗讳，单名勣。唐初名将。

【译文】

李世民的心腹仅剩下长孙无忌一人还留在府中。长孙无忌与他的舅舅雍州治中高士廉、左候车骑将军三水侯君集及尉迟敬德等人，每天都在劝说李世民诛杀李建成、李元吉。李世民犹豫不决，向灵州大都督李靖询问，李靖没有回答。接着，又问行军总管李世勣，李世勣也没有回答。李世民因此对二人十分器重。

【原文】

会突厥郁射设[①]将数万骑屯河南，入塞，围乌城[②]，建成荐元吉代世民督诸军北征。上从之，命元吉督右武卫大将军李艺、天纪将军张瑾等救乌城。元吉请尉迟敬德、程知节、段志玄及秦府右三统军秦叔宝等与之偕行，简阅秦王帐下精锐之士以益元吉军。率更丞王晊[③]密告世民曰："太子语齐王：今汝得秦王骁将精兵，拥数万之众，吾与秦王饯汝于昆明池，使壮士拉杀之于幕下，奏云暴卒，主上宜无不信。吾当使人进说，令授吾国事。敬德等既入汝手，宜悉坑之，孰敢不服！"世民以晊言告长孙无忌等，无忌等劝世民先事图之。世民叹曰："骨肉相残，古今大恶。吾诚知祸在朝夕，欲俟其发，然后以义讨之，不亦可乎！"敬德曰："人情谁不爱其死！今众人以死奉王，乃天授也。祸机垂发，而王犹晏然[④]不以为忧，大王纵自轻，如社稷宗庙何？大王不用敬德之言，敬德将窜身[⑤]草泽，不能留居大王左右，交手受戮[⑥]也！"无忌曰："不从敬德之言，事今败矣。敬德等必不为王有，无忌亦当相随而去，不能复事大王矣！"世民曰："吾所言亦未可全弃，公更图之。"敬德曰："王今处事有疑，非智也。临难不决，非勇也。且大王素所畜养勇士八百余人，在外者今已入宫，擐甲执兵[⑦]，事势已成，大王安得已乎！"

【注释】

①郁射设：阿史那郁射设，突厥的将领。

②乌城：今陕西定边南。

③率更丞：官名，为太子属官。王晊（zhì）：为唐朝初年太子（李建成）率更丞。

④晏然：安定的样子。

⑤窜身：藏身。窜，躲藏。

⑥交手受戮：合着双手等别人来杀自己。

⑦擐（huàn）甲：穿上甲胄。执兵：手拿兵器。

【译文】

正好突厥郁射设率领数万骑兵屯驻在黄河以南，进攻边关，并迅速包围了乌城，李建成推荐李元吉代替李世民出征讨伐，高祖应允了。高祖于是让李元吉带着右武卫大将军李艺、天纪将军张瑾等营救乌城。李元吉请求让尉迟敬德、程知节、段志玄及秦府右三统军秦叔宝等人与他一同出征，将秦王帐下的精锐之士编入他的军中。率更丞王晊暗地里对李世民说："太子对齐王说，'现在你得到了秦王手下的骁勇悍将，率领数万之众，我与秦王在昆明池为你饯行，你派遣壮士在幕下将李世民杀死，然后上奏说他是猝死的，皇上一定深信不疑。我会让人上书，请皇上把国事交给我处理。敬德等人既然已经在你的手中，你就要一个不留将他们全部处死，看看谁还敢不从？'"李世民将王晊的话告诉了长孙无忌，长孙无忌等劝李世民先发制人。李世民叹息道："骨肉相残，自古以来就是最大的罪行。我也知道早晚会发生这样的事情，但是我一直想要等他们先动手，然后再用有负道义的罪名讨伐他们，这样难道真的不可以吗？"尉迟敬德说："天下之人又有谁对生命不爱惜呢？现在大家甘心冒着生命危险奉大王与太子决一生死，这就是老天赐给大王的良机。祸患随时都会爆发，而大王还安然不以为忧，大王即便不将自己的生命看在眼中，那么国家呢？如果大王不听敬德的话，敬德就隐藏在民间，不再追随大王左右，眼巴巴地等待着别人来杀我。”长孙无忌说：“如果大王不听从敬德的话，必定败事。敬德等不再追随大王，无忌也会随之离开，不再侍奉您了。”李世民说：“我适才说的并不是完全没有道理，各位还是再考虑考虑吧。”尉迟敬德说：“大王现在处事如此犹豫，这是不明智的；大难临头做不了决断，这是不勇敢的。何况大王一直蓄养的八百多勇士，在外面的也都已经入宫。军士们个个穿着盔甲，手执兵器，眼看对峙之势已成，大王想要就此作罢已经是不可能的了。”

【原文】

世民访之府僚，皆曰：“齐王凶戾①，终不肯事其兄。比闻护军薛实尝谓齐王曰：大王之名，合之成‘唐’字，大王终主唐祀。齐王喜曰：但除秦王，取东宫如反掌耳。彼与太子谋乱未成，已有取太子之心，乱心无厌②，何所不为！若使二人得志，恐天下非复唐有。以大王之贤，取二人如拾地芥③耳，奈何徇④匹夫之节，忘社稷之计乎？”世民犹未决，众曰：“大王以舜为何如人？”曰：“圣人也。”众曰：“使舜浚⑤井不出，则为井中之泥；涂廪⑥不下，则为廪上之灰。安能泽被天下，法施后世乎！是以小杖则受，大杖则走，盖所存者大故也。”世民命卜之，幕僚张公谨自外来见之，取龟投地，曰：“卜以决疑，今事在不疑，尚何卜乎！卜而不吉，庸得已乎？”于是定计。

世民令无忌密召房玄龄等，曰：“敕旨不听复事王，今若私谒，必坐死，不敢奉教。”世民怒，谓敬德曰：“玄龄、如晦岂叛我邪？”取所佩刀授敬德曰：“公往观之，若无来心，可断其首以来。”敬德往，与无忌共谕之曰：“王已决计，公宜速入共谋之。吾属四人，不可群行道中。”乃令玄龄、如晦著道士服，与无忌俱入，敬德自它道亦至。

【注释】

①戾（lì）：凶暴，猛烈。

②厌（yàn）：满足。

③如拾地芥（jiè）：比喻做到十分容易。

④徇：没有条件与原则地顺从。

⑤浚（jùn）：疏通，挖深。文中所举的舜的例子都是关于他遭受父亲和弟弟迫害的事例。

⑥廪（lǐn）：米仓。

【译文】

李世民询问府中的幕僚，大家都说：“齐王凶暴，终究是不会忠于太子的。近来我们听说护军薛实曾对齐王说：大王的名字，合起来成‘唐’字，大王最终还是要主持祭祀大典的。齐王大喜说：只要除掉秦王，再除掉太子岂不易如反掌。他与太子谋划的事情还没有成功，就已经产生了夺储之心。他的心不会满足，只怕什么事情他都能做出来。如果太子和齐王得志，恐怕唐室的天下就完了。以大王的贤明，想要收拾这两个人易如反掌，怎么能像寻常人那样拘泥小节，而忘记江山社稷这样的大计呢？”李世民依然犹豫未定，众人说：“大王觉得舜为人如何？”李世民说：“是圣人。”众人说：“如果舜在挖井的时候没有逃出来，就会变成井中之泥；粉刷仓库的时候没有下来，就会变成仓库上面的灰尘，如何还能施恩天下，德传万世呢？因此所谓小杖则受，大杖则走，是因为还有更重要的事情等待着大王去做啊。”李世民让人占卜这样做是否顺利，幕僚张公谨从外面进来拜见，拿起占卜用的龟甲丢在地上，说：“卜是有疑问时用来做决定的，现在的事情根本没有犹豫的必要，还占卜做什么？如果占卜得到的是不吉的结果，难道就此作罢吗？”于是秦王做了决定。

李世民派长孙无忌秘密召见房玄龄等人。房玄龄却说：“诏书中说不允许我们再来侍奉秦王，现在要是私下里见面，必定会被处死，所以不敢听从大王的命令。”李世民发怒，对尉迟敬德说：“玄龄、如晦难道也要背叛我吗？”于是，他取下佩刀交给尉迟敬德说：“您去亲自瞧一瞧，如果他们真的不肯来见我，就立刻杀了他们。”尉迟敬德和长孙无忌一同前往去见房玄龄等人，告诉他们说：“大王已决定诛杀李建成、李元吉二人了，大家要尽快入府商讨，但是我们四个人不可以在路上一起走，以免被人发现。”于是让房玄龄、杜如晦穿着道士的衣服，与长孙无忌一同进入王府，尉迟敬德则从另一条路返回。

【原文】

己未，太白复经天。傅奕密奏：“太白见秦分，秦王当有天下。”上以其状授世民。于是世民密奏建成、元吉淫乱后宫，且曰：“臣于兄弟无丝毫负，今欲杀臣，似为世充、建德①报仇。臣今枉死，永违君亲，魂归地下，实耻见诸贼！”上省②之，愕然③，报曰：“明当鞫问④，汝宜早参。”

【注释】

①世充、建德：王世充、窦建德，都是唐朝建立时的对手，为李世民所平定。

②省（xǐng）：知觉。

③愕然：形容吃惊的样子。

④鞫（jū）问：审讯。

【译文】

己未，太白星再次出现。傅奕密奏："太白在秦地上空出现，秦王将要得到天下啊！"高祖将这件事情告诉了李世民。于是李世民密奏李建成、李元吉惑乱后宫的事，并且说："儿臣在兄弟情义上并没有丝毫做得不对的地方，可是现在他们要杀了我，好像是为了给世充、建德报仇。儿臣若是无辜枉死，永别陛下和亲人，魂归地下，也没有脸面见那些被我除掉的贼人了。"高祖似乎顿悟，感到很吃惊，答复道："明天我一定会审讯这件事，你要早点来进见。"

【原文】

庚申，世民帅长孙无忌等人，伏兵于玄武门。张婕妤窃知世民表意，驰语建成。建成召元吉谋之，元吉曰："宜勒[1]宫府兵，托疾不朝，以观形势。"建成曰："兵备已严，当与弟入参，自问消息。"乃俱入，趣玄武门。上时已召裴寂、萧瑀、陈叔达等，欲按其事。

【注释】

①勒（lè）：统率，率领。

【译文】

庚申，李世民率领长孙无忌等人进宫，在玄武门埋伏下很多士兵。张婕妤私底下知道了李世民的意图，派人火速告知李建成。李建成召李元吉商议，李元吉说："应该率领宫府兵，装病先不要上朝，看看形势再说。"李建成说："我们的兵备已经足够严密，我还是应该与你一同入朝，亲自去探听一下消息。"于是二人一同进宫，前往玄武门。高祖这时召裴寂、萧瑀、陈叔达等人进宫，想要彻底弄清楚太子李建成与齐王李元吉究竟做了什么事情。

【原文】

建成、元吉至临湖殿，觉变，即跋马东归宫府。世民从而呼之，元吉张弓射世民，再三不彀[1]。世民射建成，杀之。尉迟敬德将七十骑继至，左右射元吉坠马。世民马逸入林下，为木枝所绁[2]，坠不能起。元吉遽[3]至，夺弓将扼[4]之，敬德跃马叱之。元吉步欲趣武德殿，敬德追射，杀之。翊卫车骑将军冯翊、冯立闻建成死，叹曰："岂有生受其恩，而死逃其难乎！"乃与副护军薛万彻、屈咥[5]直府左车骑万年谢叔方帅东宫、齐府精兵二千驰趣玄武门。张公谨多力，独闭关以拒之，不得入。云麾将军敬君弘掌宿卫后，屯玄武门，挺身出战，所亲止之，曰："事未可知，且徐观变，俟兵集，成列而战，未晚也。"君弘不从，与中郎将吕世衡大呼而进，皆死之。君弘，显俊之曾孙也。守门兵与万彻等力战良久，万彻鼓噪欲攻秦府，将士大惧，尉迟敬德持建成、元吉首示之，宫府兵遂溃，万彻与数十骑亡入终南山。冯立既杀敬君弘，谓其徒曰："亦足以少报太子矣！"遂解兵，逃于野。

【注释】

①彀（gòu）：拉满弓箭。

②绁（guà）：牵绊，勾住。

③遽（jù）：马上，立刻。

④扼（è）：用力掐住，抓住。

⑤屈咥（xī）：人名。

【译文】

李建成、李元吉刚刚走到临湖殿，就发现事有蹊跷，立即掉转马头向东，想要返回东宫。李世民跟在他们后面叫住了他们，李元吉拉弓射李世民，但是因为恐惧怎么也拉不开弓箭，于是李世民开弓射中了李建成，把他杀死了。尉迟敬德率领七十骑兵相继赶到，对李元吉不断放箭，李元吉从马上掉了下来。李世民的马受到惊吓，跑到了林子里，被树枝挂住，秦王坠马无法起身。李元吉突然赶到，夺下弓箭想要徒手掐死李世民，尉迟敬德骑马赶到呵斥李元吉。李元吉朝着武德殿的方向跑去，尉迟敬德追上去将他射杀了。翊卫车骑将军冯翊、冯立听到李建成死去的消息之后，忍不住叹息道："哪有活着的时候接受他的恩典，死了就逃离灾难的呢？"于是和副护军薛万彻、屈咥直府左车骑万年谢叔方率领东宫、齐府二千精兵骑马匆匆赶往玄武门。张公谨的力气非常大，关上了宫门独自阻挡东宫、齐府兵马，让他们无法进来。云麾将军敬君弘掌管宿卫，在玄武门驻守已久，此时的他只能挺身和冯翊作战，他的手下阻止他说："现在的局势尚不稳定，暂且观看，等到军队到达之后，列成兵阵再出战也不迟。"敬君弘不听，与中郎将吕世衡叫喊着出战，结果都战死了。君弘是显俊的曾孙子，守门卫兵和薛万彻等人战斗了太长时间，薛万彻鼓噪着要攻打秦王府，秦府将士一时之间很是惊恐。这时尉迟敬德手持李建成、李元吉的首级展示，东宫和齐府的军队都吓得溃逃了，薛万彻带领几十骑逃入终南山。冯立斩杀了敬君弘，对手下说："如此就能够报答太子的恩情了！"于是解散军队，逃亡民间。

【原文】

上方泛舟海池，世民使尉迟敬德入宿卫，敬德擐甲持矛，直至上所。上大惊，问曰："今日乱者谁邪？卿来此何为？"对曰："秦王以太子、齐王作乱，举兵诛之，恐惊动陛下，遣臣宿卫。”上谓裴寂等曰：“不图今日乃见此事，当如之何？”萧瑀、陈叔达曰：“建成、元吉本不预义谋，又无功于天下，疾秦王功高望重，共为奸谋。今秦王已讨而诛之，秦王功盖宇宙，率土归心，陛下若处以元良①，委之国务，无复事矣。”上曰：“善！此吾之夙心②也。”时宿卫及秦府兵与二宫左右战犹未已，敬德请降手敕，令诸军并受秦王处分，上从之。天策府司马宇文士及自东上阁门出宣敕，众然后定。上又使黄门侍郎裴矩至东宫晓谕诸将卒，皆罢散。上乃召世民，抚之曰：“近日以来，几有投杼③之惑。”世民跪而吮上乳，号恸久之。

【注释】

①元良：太子的代称。

②夙（sù）心：本心，一贯的想法。

③投杼（zhù）：此处表示流言可畏，对某人的谣言一多，连最亲近者的信心也会动摇。

【译文】

当时高祖正在海池泛舟，李世民就派遣尉迟敬德入宫守卫。尉迟敬德身穿铠甲，手持长矛，径直走向高祖的住处。高祖大惊失色，问道：“今日是谁在作乱？你到这里来干什么？”尉迟敬德答道：“秦王因为太子、齐王起兵造反，已经将他们诛杀，秦王担心会惊扰到陛下，所以派遣臣来守卫。”高祖对裴寂等人说：“真的想不到今天会发生这样的事情，我现在应该怎么办呢？”萧瑀、陈叔达说：“建成、元吉原本没有参与起兵反隋的事情，又没有大功于天下，所以忌惮秦王功高盖主，共同谋划杀害秦王，现在秦王已经将此二人诛杀，再加上秦王功劳甚高，天下归心，若陛下可以立他为太子，把政务交给他处理，当然能够太平无事了。”高祖说：“好！这正是我一直以来的想法。”当时宫廷宿卫、秦府兵和东宫以及齐府的将士依然在激战，尉迟敬德请高祖降下手敕，下令诸军都由秦王统领，高祖答应了。天策府司马宇文士及从东上门出来宣读诏书，之后的局势才慢慢稳定下来。高祖又派黄门侍郎裴矩到东宫通知各位将领，让他们罢兵解散。高祖召见秦王，安慰他说：“近来我几乎因为相信流言错怪你了。”李世民于是跪下来紧紧地抱住高祖，失声痛哭了很长时间。

【原文】

建成子安陆王承道、河东王承德、武安王承训、汝南王承明、巨鹿王承义，元吉子梁郡王承业、渔阳王承鸾、普安王承奖、江夏王承裕、义阳王承度，皆坐诛[①]，仍绝属籍。

【注释】

①坐诛：受到牵连被诛杀。

【译文】

李建成的儿子安陆王李承道、河东王李承德、武安王李承训、汝南王李承明、巨鹿王李承义，李元吉的儿子梁郡王李承业、渔阳王李承鸾、普安王李承奖、江夏王李承裕、义阳王李承度，都因为受到牵连而被杀死，有些还被革除了宗室的身份。

【原文】

初，建成许元吉以正位之后，立为太弟，故元吉为之尽死。诸将欲尽诛建成、元吉左右百余人，籍没[①]其家，尉迟敬德固争曰：“罪在二凶，既伏其诛，若及支党，非所以求安也。”乃止。是日，下诏赦天下。凶逆之罪，止于建成、元吉，自余党与，一无所问。

【注释】

①籍没：登记并没收家产。

【译文】

起初，李建成答应李元吉，自己登基之后，就立他为皇太弟，所以李元吉才会誓死追随他。秦王诸将想要将李建成、李元吉手下的一百多人全都诛杀，查抄家产。尉迟敬德坚持说："这仅仅是他们二人的罪孽，现在他们已经伏法，如果牵涉太多，就不是殿下想要求得天下安定的意愿了。"秦王听取了他的建议。当天下诏大赦天下。秦王宣称，凶逆之罪，止于李建成、李元吉，其他同党一概不予追究。

贞观治道

一

【原文】

上与群臣论止盗，或请重法以禁之，上哂[①]之曰："民之所以为盗者，由赋繁役重，官吏贪求，饥寒切身，故不暇顾廉耻耳。朕当去奢省费，轻徭薄赋，选用廉吏，使民衣食有余，则自不为盗，安用重法邪！"自是数年之后，海内升平，路不拾遗，外户不闭，商旅野宿[②]焉。

上又尝谓侍臣曰："君依于国，国依于民。刻民以奉君，犹割肉以充腹，腹饱而身毙，君富而国亡。故人君之患，不自外来，常由身出。夫欲盛则费广，费广则赋重，赋重则民愁，民愁则国危，国危则君丧矣。朕常以此思之，故不敢纵欲也。"

【注释】

①哂（shěn）：微笑。

②野宿：在野外过夜。

【译文】

唐太宗李世民与众位大臣商议怎么平息贼患。一些人说用严格的法令进行禁止，太宗微微一笑，说道：“百姓就是因为赋税繁重，官吏贪污，饥寒交迫，民不聊生，所以才被逼成为盗贼，顾不上廉耻。朕应当捐弃奢华，减轻税负，任用那些廉洁的官吏，让百姓能够衣食有余，如此自然就不会有盗贼了。哪里还需要采用重法呢！”如此过了几年之后，天下太平，路不拾遗，晚上睡觉都不用关大门。商旅们在荒郊野外露宿都不用担心自己的钱财被抢。

太宗曾经对侍臣说：“君主所要依靠的是国家，国家所要依靠的是百姓。压榨百姓来侍奉君主，就好比割自己的肉充饥一般，肚子填饱了，人却死了。君主虽然富有了，国家却灭亡了。所以人君最担忧的并不是外患，而是国家内部发生的事情。欲望多了花费就会增多，花费增多了赋税就会繁重，赋税繁重了百姓就会烦忧，百姓烦忧了国家就会陷入危难，国家陷入危难，君主的地位就不保了。朕经常考虑这些事，所以从来不敢放纵自身的欲望。”

【原文】

上厉精求治[①]，数引魏徵[②]入卧内，访以得失，徵知无不言，上皆欣然嘉纳。上遣使点兵，封德彝奏：“中男[③]虽未十八，其躯干壮大者，亦可并点。”上从之。敕出，魏徵固执以为不可，不肯署敕，至于数四。上怒，召而让之曰：“中男壮大者，乃奸民诈妄以避征役，取之何害，而卿固执至此！”对曰：“夫兵在御之得其道，不在众多。陛下取其壮健，以道御之，足以无敌于天下，何必多取细弱以增虚数乎！且陛下每云：吾以诚信御天下，欲使臣民皆无欺诈。今即位未几，失信者数矣！”上愕然曰：“朕何为失信？”对曰：“陛下初即位，下诏云：逋负[④]官物，悉令蠲免[⑤]。有司以为负秦府国司者，非官物，征督如故。陛下以秦王升为天子，国司之物，非官物而何！又曰：关中免二年租调，关外给复[⑥]一年。既而继有敕云：已役已输者，以来年为始。散还之后，方复更征，百姓固已不能无怪。今既征得物，复点为兵，何谓来年为始乎？又陛下所与共治天下者在于守宰，居常简阅，咸以委之，至于点兵，独疑其诈，岂所谓以诚信为治乎？”上悦曰：“向者朕以卿固执，疑卿不达政事，今卿论国家大体，诚尽其精要。夫号令不信，则民不知所从，天下何由而治乎？朕过深矣！”乃不点中男，赐徵金瓮[⑦]一。上闻景州录事参军[⑧]张玄素名，召见，问以政道，对曰：“隋主好自专庶务，不任群臣，群臣恐惧，唯知禀受奉行而已，莫之敢违。以一人之智决天下之务，借使得失相半，乖谬已多，下谀上蔽，不亡何待！陛下诚能谨择群臣而分任以事，高拱穆清[⑨]而考其成败以施刑赏，何忧不治？又，臣观隋末乱离，其欲争天下者，不过十余人而已，其余皆保乡党、全妻子，以待有道而归之耳。乃知百姓好乱者亦鲜，但人主不能安之耳。”上善其言，擢为侍御史[⑩]。

【注释】

①厉精求治：振奋精神以便治理好国家。

②魏徵：敢于进谏的贞观名臣。

③中男：未成丁的男子。

④逋（bū）负：拖欠。

⑤蠲（juān）免：免除。

⑥给（gěi）复：免除赋税徭役。

⑦瓮（wèng）：一种口小腹大的陶制容器。

⑧景州：今河北衡水。录事参军：官名，掌管文书。

⑨高拱：两手相抱至胸前。穆清：太平，祥和。

⑩侍御史：官名，举劾非法，督察郡县。

【译文】

太宗励精图治，曾多次把魏徵带进卧室，向他询问自己在施政方面的得与失，而魏徵也一直是知无不言，太宗都会欣然采纳。太宗派人征兵，封德彝奏："中男虽然不满十八岁，但是那些身材健硕的也可以征用。"太宗答应了。诏书颁布之后，魏徵不同意，在签署的时候多次拒签。太宗因此十分生气，召见魏徵责问道："身强体壮的中男，都是百姓为了欺骗官府逃避征役，招募这些人又有什么不可？你为何如此固执己见？"魏徵答复说："军队是不是有用在于能不能统领得法，而不在人多不多。陛下征发成年男子中身体健壮的，采取合适的方法统一带领，就足以让天下畏惧，何必再去征募那些还没有成年的男子虚增人数呢？更何况陛下经常对我们说：我怀着一颗诚信之心治理天下与百姓，希望能够以此带动臣民不再做欺骗的事情。如今陛下即位不久，就已经失信多次了。"太宗听到这些话十分吃惊，说："我何时失信了？"魏徵答道："陛下刚刚登基的时候下诏说：所欠的朝廷赋税，一律免除。有人觉得欠秦王府库租税的，就不在免除之列，照旧征收。陛下从秦王成为天子，秦王府库之物不就等同于朝廷之物吗？后来，陛下又下诏：关中免二年租调，关外免一年的赋税徭役。没多久又下诏书说：当年已经缴纳赋税的，就从第二年开始免除。这样一来，将百姓缴付的赋税散还之后，又再征收，百姓自然会责怪朝廷朝令夕改了。如今不止征收赋役，还点中男为兵，怎么可以说是‘来年为始’呢？还有，地方官员要在接受陛下的检阅之后，陛下才会将重任交托给他们。但是，等到征兵时，陛下开始对他们心存怀疑，这难道就是所谓的以诚信治天下吗？”太宗高兴地说：“从前，朕总是认为你过于固执，怀疑你对于政务的了解，现在见你议论国家大事，实在是讲到了精髓部分啊。号令没有诚信，那么百姓就不知道应该怎么做了，如此天下又如何治理得好呢？朕真是大错特错了。”从此不再征发中男，赏赐魏徵一件金瓮。太宗听说景州录事参军张玄素很是贤德，于是召见他询问国家大事，张玄素答道：“隋朝的君主喜欢独自执政，不愿意相信群臣，因此群臣十分害怕，只知道一味地奉命行事，从来不敢违背。凭借一个人的智慧决定天下的事情，即便可以做到得失相半，所犯下的错误也已经非常多，再加上君主被下面阿谀奉承的言语蒙蔽，国家不灭亡还等什么呢！陛下若能在挑选臣子的时候小心谨慎，将政事分别交给他们去处理，自己安坐在朝廷之上对其成败得失进行考察，然后进行刑罚或赏赐。倘若真能做到如此，又何必担心天下治理不好呢？另外，臣留心到隋末乱世，真正想要夺得天下的不过十几个人，其他的不过就是为了保全乡里和妻子儿女，只要仁德之君一出现就会一心归附。所以臣才知道很少有百姓会喜欢乱世，只不过君主不可以让他们过上太平的生活而已。”太宗觉得他说得有理，于是任命他为侍御史。

【原文】

上令封德彝举贤，久无所举。上诘之，对曰：“非不尽心，但于今未有奇才耳。”上曰：“君子用人如器，各取所长，古之致治者，岂借才于异代乎？正患己不能知，安可诬一世之人！”德彝惭而退。御史大夫杜淹奏：“诸司文案恐有稽失[1]，请令御史就司检校。”上以问封德彝，对曰：“设官分职，各有所司。果有愆违[2]，御史自应纠举，若遍历诸司，搜擿疵颣[3]，太为烦碎。”淹默然。上问淹：“何故不复论执？”对曰：“天下之务，当尽至公，善则从之。德彝所言，真得大体，臣诚心服，不敢遂非。”上悦曰：“公等各能如是，朕复何忧！”

【注释】

①稽失：延误，贻误。

②愆（qiān）违：过失，过错。

③擿：挑出。疵颣（cī lèi）：缺点，毛病。

【译文】

太宗命封德彝挑选贤才，过了很久也没有音讯。太宗追问他是什么原因，封德彝说：“并不是臣不尽心为陛下办事，只是现在还没有奇才出现。”太宗说：“君子用人就好比使用武器一样，各取所长。古代的圣明之君治理天下，难道所依靠的是从其他时代借用的人才吗？人应该忧虑的是自己不可以清楚地知道他人的长处，怎么可以诬陷天下之人呢？”封德彝惭愧地退下了。御史大夫杜淹上奏说：“诸司文案只怕会拖延一些时间，请求让御史到诸司检校。”太宗询问封德彝，封德彝回答道：“设立不同的官职，原本就是各司其职。如果诸司真的犯了错，御史当然应该纠察检举。如果让御史查遍诸司，将各种毛病都搜集挑选出来，也未免太过琐碎了。”杜淹默然。太宗问杜淹：“你为什么不再坚持自己的想法了呢？”杜淹答道：“处理天下事务，本就应该尽心尽责，秉持着公正严明的态度，听到好的意见就要欣然接受。德彝所说的朝廷大体，臣诚心佩服，所以不敢再争辩了。”太宗很高兴，说：“如果各位可以像这样做事情，朕还担心什么呢？”

【原文】

上神采英毅，群臣进见者，皆失举措。上知之，每见人奏事，必假以辞色[①]，冀[②]闻规谏。尝谓公卿曰：“人欲自见其形，必资明镜，君欲自知其过，必待忠臣。苟其君愎谏自贤[③]，其臣阿谀顺旨，君既失国，臣岂能独全！如虞世基等谄事[④]炀帝以保富贵，炀帝既弑[⑤]，世基等亦诛。公辈宜用此为戒，事有得失，无惜尽言！”

【注释】

①假以辞色：对待别人好言好语，和颜悦色。

②冀（jì）：希望。

③愎（bì）谏自贤：刚愎自用，固执己见。

④虞世基：隋炀帝统治时期的重臣。谄（chǎn）事：逢迎侍奉。

⑤弑（shì）：君主被臣子杀害。

【译文】

太宗神采刚毅，群臣每次觐见都会心生畏惧，所以言行举止经常失措。太宗知道以后，每次见人奏事，都会和颜悦色，希望能听到大臣的规谏。太宗曾经对公卿说：“人想要见到自己的样子，必须有明镜的帮助；君主想要知道自己的过失，就需要忠臣的劝谏。如果君主刚愎自用，不听从忠臣的劝谏，大臣必然会阿谀顺从，一旦君主亡国，大臣又要如何保全自身呢！好比虞世基等人逢迎侍奉隋炀帝以求保住自身荣华，隋炀帝被杀害之后，虞世基等人也被处死。各位应该将这件事作为前车之鉴，如果我处事有过错，你们必定要知无不言，言无不尽。”

【原文】

上谓房玄龄曰：“官在得人[①]，不在员多。”命玄龄并省，留文武总六百四十三员。

上曰：“为朕养民者，唯在都督、刺史，朕常疏其名于屏风，坐卧观之，得其在官善恶之迹，皆注于名下，以备黜陟[②]。县令尤为亲民，不可不择。”乃命内外五品已上，各举堪为县令者，以名闻。

上谓房玄龄、杜如晦曰：“公为仆射，当广求贤人，随才授任，此宰相之职也。比闻听受辞讼[③]，日不暇给，安能助朕求贤乎！”因敕“尚书细务属左右丞[④]，唯大事应奏者，乃关仆射”。

【注释】

①得人：得到德才兼备的人，适才而用。

②黜陟（chù zhì）：官吏的升降。

③辞讼：诉讼的言辞。

④左右丞：尚书左右丞，为正四品。

【译文】

太宗对房玄龄说：“任用官吏最重要的就是任用德才兼备之人，而不在人多。”于是让房玄龄裁减合并官职，最后只留下文武官员一共六百四十三人。

太宗说：“为朕养护百姓的人，只在都督、刺史这些地方的官员。朕时常将他们的名字逐一写在屏风上面，坐卧时都要仔细看一看，以了解他们自上任之后所做的好事与坏事，然后一一注于其名下，把这些留作将来升迁和降职的依据。县令和百姓的关系最为亲密，在选择时必须慎重。”于是让朝野内外五品官以上的官员各自推荐可以担当县令的人，并且把名字一一奏报上来。

太宗对房玄龄、杜如晦说：“你们是仆射，应该挑选贤才，根据他们各自的才能授予相应的官职，这才是宰相的职责所在。近些天来听说你们每天都要处理诉讼，怎么还能帮助朕广求贤才呢？”于是下敕“尚书省的日常事务交给左右丞处理，只有应该启奏的大事才告知仆射”。

【原文】

玄龄明达吏事，辅以文学，夙夜①尽心，惟恐一物失所，用法宽平，闻人有善，若己有之，不以求备取人，不以己长格物。与杜如晦引拔士类，常如不及。至于台阁规模，皆二人所定。上每与玄龄谋事，必曰：“非如晦不能决。”及如晦至，卒用玄龄之策。盖玄龄善谋，如晦能断故也。二人深相得②，同心徇国③，故唐世称贤相者，推房、杜焉。

【注释】

①夙（sù）夜：朝夕，日夜。指日夜从事。

②相得：彼此投合。

③徇国：为国家利益做出贡献。

【译文】

房玄龄通晓政事，文采出众，昼夜操劳，唯恐有什么事情处理得不得当。他用法宽大平和，听说了别人的优点，就好比自己有优点一样，不会对别人求全责备，不以自己的长处要求别人，与杜如晦一起提拔后进，常常觉得自己比不上杜如晦，朝廷制度规模也都由这两个人商议决定。太宗每次和房玄龄商议政事，他都会说：“非如晦不能决断。”等杜如晦到了，又总是采用房玄龄的意见。这是因为房玄龄在谋划方面更胜一筹，而杜如晦在决断上高人一等。此二人兴趣相同，同心同德为国效命，所以在唐朝能够被称作贤相的，首推房、杜。

二

【原文】

上之初即位也，尝与群臣语及教化，上曰："今承大乱之后，恐斯民未易化也。"魏徵对曰："不然。久安之民骄佚①，骄佚则难教，经乱之民愁苦，愁苦则易化。譬犹饥者易为食，渴者易为饮也。"上深然之。封德彝非之曰："三代②以还，人渐浇讹③，故秦任法律，汉杂霸道，盖欲化而不能，岂能之而不欲邪？魏徵书生，未识时务，若信其虚论，必败国家。"徵曰："五帝、三王不易民而化，昔黄帝征蚩尤④，颛顼诛九黎⑤，汤放桀⑥，武王伐纣，皆能身致太平，岂非承大乱之后邪！若谓古人淳朴，渐至浇讹，则至于今日，当悉化为鬼魅矣，人主安得而治之！"上卒从徵言。

【注释】

①骄佚：骄奢安逸。

②三代：指夏、商、周三代。

③浇讹（é）：浮薄诈伪。

④蚩（chī）尤：传说中古代九黎族首领，与黄帝在涿鹿交战，失败被杀。

⑤颛顼（zhuān xū）诛九黎：传说中颛顼消灭了南方的九黎族。

⑥桀（jié）：夏朝最后一位君主，是中国历史上著名的暴君。

【译文】

太宗即位之初，曾经和群臣一起讨论教化事宜。太宗说："现在是承大乱之后，只怕百姓不容易教化啊。"魏徵说："并不是这样的。长时间享受太平的百姓骄奢安逸，骄奢安逸的百姓才会难于教化。经过战乱的百姓知道疾苦，知道疾苦的百姓反倒容易教化了。这就好比是饥饿的人容易吃得下食物，而口干舌燥的人容易喝下水一样。"太宗认为他说的很有道理。封德彝却不同意这样的说法，说道："夏、商、周三代以下，人与人之间逐渐浮薄诈伪，所以秦朝实行严酷刑罚，汉朝更是霸道，都是因为想要教化百姓却做不到，哪里是有能力做却不想做！魏徵原本就是一介书生，不识时务，如果相信了他的谬论，必定扰乱国家。"魏徵说："五帝三王不易民而化，之前黄帝征讨蚩尤，颛顼诛杀九黎，成汤流放夏桀，武王伐纣，都可以通过自身的努力创下太平盛世，这些难道就不是在大乱之后成就的吗？如果说古人淳朴，之后渐渐变得浮薄狡诈，那么历史发展到今天，岂不是人人都变成鬼魅了，人主哪里还会有天下可以治理呢？"太宗最终还是接受了魏徵的意见。

中宗复辟

【原文】

圣历二年，太后[1]春秋高，虑身后太子与诸武不相容。壬寅，命太子、相王、太平公主与武攸暨等为誓文，告天地于明堂，铭之铁券[2]，藏于史馆。

太后春秋高，政事多委张易之兄弟[3]，邵王重润[4]与其妹永泰郡主、主婿魏王武延基窃议其事。易之诉于太后，九月，壬申，太后皆逼令自杀。

【注释】

①太后：武则天，中国历史上唯一的女皇帝。

②铁券：帝王赏赐给功臣、重臣的一种带有奖赏和盟约性质的凭证。

③张易之兄弟：都是武则天的男宠。

④邵王重润：太子李显（即唐中宗）之子李重润。

【译文】

圣历二年（699），武则天的年龄大了，她担心去世之后太子李显与武氏诸人不能相容。壬寅，命令太子李显、相王李旦、太平公主与武攸暨等一起作誓文，到明堂祭告天地，并且将誓文写入铁券为证，收藏在史馆中。

武则天因年事已高，时常将政务交给张易之兄弟处理。邵王李重润和其妹永泰郡主、主婿魏王武延基暗地里讨论这件事情。张易之知道这件事情后就告诉了武则天，九月壬申，武则天逼邵王等人自杀。

【原文】

神龙元年正月，太后疾甚，麟台监[①]张易之、春官侍郎[②]张昌宗居中用事，张柬之、崔玄暐与中台右丞敬晖、司刑少卿桓彦范、相王府司马袁恕己谋诛之。柬之谓右羽林卫大将军[③]李多祚曰："将军今日富贵，谁所致也？"多祚泣曰："大帝[④]也。"柬之曰："今大帝之子[⑤]为二竖[⑥]所危，将军不思报大帝之德乎？"多祚曰："苟利国家，惟相公处分，不敢顾身及妻子！"因指天地以自誓，遂与定谋。

【注释】

①麟台监：武周时官名，秘书监。

②春官侍郎：武周时官名，礼部侍郎。

③右羽林卫大将军：禁军大将。

④大帝：指唐高宗。

⑤大帝之子：指太子李显。

⑥二竖：指二张。

【译文】

神龙元年（705）正月，武则天病重，麟台监张易之、春官侍郎张昌宗在宫中秉持朝政大权。张柬之、崔玄暐与中台右丞敬晖、司刑少卿桓彦范、相王府司马袁恕己商讨之后决定除掉二张。张柬之对右羽林卫大将军李多祚说："将军今日的荣华是谁赐予的？"李多祚流着眼泪说道："是高宗。"张柬之说："现如今高宗的儿子受到二张的胁迫，将军难道不应该报先帝的恩情吗？"李多祚说："只要是有助于国家的，臣愿意听从差遣，我不敢只顾及自身的家族利益。"李多祚于是指天地发誓，与张柬之定下了计谋。

【原文】

初，柬之与荆府长史阌乡[①]杨元琰相代，同泛江至中流，语及太后革命事，元琰慨然有匡复之志。及柬之为相，引元琰为右羽林将军，谓曰："君颇记江中之言乎？今日非轻授也。"柬之又用彦范、晖及右散骑侍郎李湛皆为左、右羽林将军，委以禁兵。易之等疑惧，乃更以其党武攸宜为右羽林大将军，易之等乃安。

【注释】

①阌（mín）乡：今河南灵宝。

【译文】

最初，荆府长史阌乡杨元琰接任张柬之的职位时，二人一起渡江来到江中，谈到武则天革唐为周的事，杨元琰一直抱有匡复唐室的远大志向。等到张柬之为宰相时，就任命杨元琰为右羽林将军，对他说："你是不是还记得自己于江中说的话呢？今天的任命可不是随随便便的任命啊。"张柬之又任命桓彦范、敬晖和右散骑侍郎李湛为左、右羽林将军，统领禁兵。张易之对这件事情起了疑心，于是张柬之就任二张党羽武攸宜为右羽林大将军，张易之等才算安心。

【原文】

俄而姚元之自灵武[1]至都，柬之、彦范相谓曰："事济矣！"遂以其谋告之。彦范以事白其母，母曰："忠孝不两全，先国后家可也。"时太子于北门起居，彦范、晖谒见，密陈其策，太子许之。

癸卯，柬之、玄暐、彦范与左威卫将军薛思行等，帅左右羽林兵五百余人至玄武门，遣多祚、湛及内直郎、驸马都尉安阳王同皎诣东宫迎太子。太子疑，不出，同皎曰："先帝以神器付殿下，横遭幽废，人神同愤，二十三年矣！今天诱其衷，北门、南牙[2]，同心协力，以今日诛凶竖，复李氏社稷，愿殿下暂至玄武门，以副众望。"太子曰："凶竖诚当夷灭，然上体不安，得无惊怛[3]！诸公更为后图。"李湛曰："诸将相不顾家族以徇社稷[4]，殿下奈何欲纳之鼎镬[5]乎！请殿下自出止之。"太子乃出。

【注释】

①灵武：今宁夏灵武。

②北门、南牙：北门指禁军，南牙指宰相与朝中大官。

③惊怛（dá）：惊恐，害怕。

④徇（xùn）社稷：为社稷牺牲。

⑤鼎镬（dǐng huò）：古代酷刑，用鼎镬烹人。

【译文】

不久，姚元之从灵武返回长安。张柬之、桓彦范等人商量："事情基本上成功了。"于是就将他们的谋划告诉了姚元之。桓彦范把这件事情告诉了自己的母亲，他的母亲说:“既然不能做到忠孝两全,那就先国后家好了。”当时太子住在玄武门,桓彦范、敬晖谒见太子,秘密告诉了太子要除去二张的计划,太子欣然答应了。

癸卯,张柬之、崔玄暐、桓彦范和左威卫将军薛思行等人率左右羽林兵五百多人来到玄武门,派遣李多祚、李湛和内直郎、驸马都尉安阳王同皎前往东宫迎接太子。太子心中怀疑,不肯跟他们走,王同皎说:“先帝决定把国家交到太子手中,结果太子横遭幽废,这真的是人神共愤的事情,到今天为止已经有二十三年的时间了。如今老天赐给这个机会,北门禁军和南牙廷臣同心协力,要在今天诛杀小人,匡扶李唐社稷,请殿下先暂且前往玄武门,以顺应民心。”太子说:“奸佞之人的确应该诛杀,但是圣上身体不适,一定会因此受到惊扰,大家还是另做打算吧。”李湛说:“诸将相不顾身家性命和家族安危而扶保社稷,太子怎么可以如此轻易放弃,这样必然会置众人于死地啊!如果殿下要阻止大家,也请您自己出去和大家说清楚。”太子这才出了东宫。

【原文】

同皎扶抱太子上马,从至玄武门,斩关[1]而入。太后在迎仙宫,柬之等斩易之、昌宗于庑[2]下,进至太后所寝长生殿,环绕侍卫。太后惊起,问曰:“乱者谁邪?”对曰:“张易之、昌宗谋反,臣等奉太子令诛之,恐有漏泄,故不敢以闻。称兵宫禁,罪当万死!”太后见太子曰:“乃汝邪?小子既诛,可还东宫!”彦范进曰:“太子安得更归!昔天皇以爱子托陛下,今年齿已长,久居东宫,天意人心,久思李氏。群臣不忘太宗、天皇[3]之德,故奉太子诛贼臣。愿陛下传位太子,以顺天人之望!”李湛,义府之子也。太后见之，谓曰：“汝亦为诛易之将军邪？我于汝父子不薄，乃有今日！”湛惭不能对，又谓崔玄暐曰：“他人皆因人以进，惟卿朕所自擢，亦在此邪？”对曰：“此乃所以报陛下之大德。”

于是收张昌期、同休、昌仪等，皆斩之，与易之、昌宗枭首天津④南。是日，袁恕己从相王统南牙兵以备非常，收韦承庆、房融及司礼卿崔神庆系狱，皆易之之党也。

【注释】

①斩关：砍断门闩，泛指将城门攻破。

②庑（wǔ）：廊。

③天皇：指唐高宗。

④枭（xiāo）首：悬头示众。天津：今河南洛阳西南的天津桥。

【译文】

王同皎将太子扶上马，一行人也跟随着来到玄武门，随之破门而入。当时，武则天正在迎仙宫，张柬之等人在走廊中就杀死了张易之、张昌宗，闯进了武则天休息的长生殿，让侍卫包围寝殿。武则天大惊失色，问：“是谁在叛乱？”众人回答道：“张易之、张昌宗意图谋反，臣等奉太子的命令将他们诛杀，担心事情会泄露，所以一直不敢禀报陛下。在宫中动用军队武器，实在罪该万死！”太后看见了太子，说：“是不是你？既然奸人已经除掉，你现在可以回东宫了。”桓彦范上前进奏：“太子不可以再回去。想当年，高宗将爱子托付陛下，现在太子已经长大，长时间居住在东宫，所谓天意人心，大家一直在想念李唐啊。群臣不忘太宗皇帝和高宗皇帝的恩德，因此推奉太子诛杀奸臣。请陛下将皇位传于太子，如此才能顺天意人心。”李湛是李义府的儿子。太后见到李湛说：“难道你也参与了杀张易之将军的行动吗？我待你们父子也不算苛刻，没想到也会有今天！”李湛惭愧不能对答。太后又对崔玄暐说：“别人都是通过他人举荐才得到一官半职，只有你是朕亲自提拔起来的，为什么你也参与了这件事呢？”崔玄暐答道：“这正是臣在回报陛下的恩德。”

于是，张柬之等捉拿张昌期、张同休、张昌仪等人，一律斩首，与张易之、张昌宗一起在天津桥南砍头悬挂示众。就在这一天，袁恕己跟随相王李旦统领南牙兵进行防备，捕获韦承庆、房融及司礼卿崔神庆等入狱，他们全都是张易之的同党。

【原文】

甲辰，制太子监国，赦天下。以袁恕己为凤阁侍郎、同平章事①，分遣十使赍玺书宣慰诸州。乙巳，太后传位于太子。

丙午，中宗即位，赦天下，惟张易之党不原②，其为周兴等所枉者，咸令清雪，子女配没③者皆免之。相王加号安国相王，拜太尉、同凤阁鸾台三品④，太平公主加号镇国太平公主。皇族先配没者，子孙皆复属籍，仍量叙官爵⑤。

神龙元年二月，辛亥，帝帅百官诣上阳宫问太后起居；自是每十日一往。

【注释】

①凤阁侍郎：中书侍郎。同平章事：宰相。

②原：赦免。

③配没：将罪犯家属发配为奴。

④同凤阁鸾台三品：同中书门下三品，宰相。

⑤量叙官爵：根据不同情况分配官爵。

【译文】

甲辰，武则天下制令太子监国，并决定大赦天下。任命袁恕己为凤阁侍郎、同平章事，分别派出十位使臣携带玺书宣慰诸州。乙巳，武则天将皇位传于太子。

丙午，中宗即位，决定大赦天下，只有张易之等人不在赦免之列。所有被周兴等酷吏设计冤枉的，都得以昭雪，子女受到牵连而被罚为官奴的也都赦免。相王李旦加号安国相王，授予他官职为太尉、同凤阁鸾台三品，太平公主加号镇国太平公主。皇族中有以前因罪而发配的，子孙也都恢复宗籍，酌情处理，或赐予官职。

神龙元年（705）二月辛亥，皇帝率领百官到上阳宫问候武则天的起居生活。从此之后，每十天就会去一次。

马嵬事变

【原文】

及暮，平安火[①]不至，上始惧。壬辰，召宰相谋之。杨国忠自以身领剑南[②]，闻安禄山反，即令副使崔圆阴具储偫[③]，以备有急投之，至是首唱幸蜀之策，上然之。癸巳，国忠集百官于朝堂，惶懅[④]流涕，问以策略，皆唯唯不对。国忠曰："人告禄山反状已十年，上不之信，今日之事，非宰相之过。"仗下，士民掠扰奔走，不知所之，市里萧条。国忠使韩、虢[⑤]入宫，劝上入蜀。

【注释】

①平安火：唐制，每隔三十里置立一堠，每天刚入夜的时候举烽火报无事，称之为"平安火"。

②剑南：今四川地区。

③储偫（zhì）：存储物资备用。

④惶懅（jù）：惊慌害怕。懅，焦急惧怕。

⑤虢（guó）：指虢国夫人杨氏，唐蒲州永乐（今山西芮城）人，生年不详。安史之乱时在出逃中被迫自杀。

【译文】

晚上，迟迟没有见到平安火，于是玄宗开始惊惧了。壬辰，玄宗将宰相等人召到宫里商量。杨国忠因为担任领剑南节度使，一听说安禄山造反，就立刻让副使崔圆私底下储备物资，以备不时之需，所以这时他先提出入蜀避难的计策。玄宗答应了。癸巳，杨国忠在朝堂之上召集百官，惊惧担心以至流泪。他问大家有什么对策，众人都支支吾吾地说不出来。于是，杨国忠说："有人告发安禄山计划谋反已经十年时间了，大家都不相信。今天的事情，不能再说是宰相的过失了吧。"朝散之后，士民惊惧得到处奔跑，不知要去往哪里，街上一片狼藉。杨国忠让韩国夫人和虢国夫人进宫，劝说皇上前往蜀地。

【原文】

甲午，百官朝者什无一二。上御勤政楼，下制，云欲亲征，闻者皆莫之信。以京兆尹魏方进为御史大夫兼置顿使，京兆少尹灵昌[①]崔光远为京兆尹，充西京留守，将军边令诚掌宫闱管钥。托以剑南节度大使颍王璬将赴镇，令本道设储偫。是日，上移仗北内[②]。既夕，命龙武大将军陈玄礼整比六军[③]，厚赐钱帛，选闲厩马[④]九百余匹，外人皆莫之知。乙未，黎明，上独与贵妃姊妹、皇子、妃、主、皇孙、杨国忠、韦见素、魏方进、陈玄礼及亲近宦官、宫人出延秋门，妃、主、皇孙之在外者，皆委之而去。上过左藏[⑤]，杨国忠请焚之，曰："无为贼守。”上愀然[6]曰：“贼来不得，必更敛于百姓；不如与之，无重困吾赤子[7]。”是日，百官犹有入朝者，至宫门，犹闻漏声[8]，三卫[9]立仗俨然。门既启，则宫人乱出，中外扰攘，不知上所之。于是王公、士民四出逃窜，山谷细民争入宫禁及王公第舍，盗取金宝，或乘驴上殿。又焚左藏大盈库[10]。崔光远、边令诚帅人救火，又募人摄府、县官分守之，杀十余人，乃稍定。光远遣其子东见禄山，令诚亦以管钥献之。

【注释】

①灵昌：今河南滑县。

②北内：太极宫北部的宫苑。

③整比六军：整顿禁军。

④闲厩马：宫禁内的马匹。

⑤左藏：唐代国库，掌管钱帛、杂彩、天下赋调。

⑥愀（qiǎo）然：忧愁、烦恼的样子。

⑦赤子：百姓。

⑧漏声：漏壶的声音。

⑨三卫：唐禁卫军，有亲卫、勋卫、翊卫，合称“三卫”。

⑩左藏大盈库：唐玄宗私库，王每岁进钱百亿，以供皇帝宫廷享乐及赏赐之用。

【译文】

甲午，上朝的百官还不到平常的十分之一。玄宗来到勤政楼，下诏书说要亲征，听到的人没有一个相信的。玄宗命京兆尹魏方进为御史大夫兼置顿使，京兆少尹灵昌崔光远为京兆尹，留守西京，又命将军边令诚掌管皇宫钥匙。然后，借口说剑南节度大使颍王李璬将到四川赴镇，于是下旨准备物资储备。当天玄宗移居到太极宫北部的宫苑。

晚上，下令龙武大将军陈玄礼整顿禁军，并赏赐了大量的钱财给将士们，挑选出闲厩马九百多匹。这些准备别人完全不知道。第二天一大早，玄宗独自与贵妃姊妹、皇子、妃、主、皇孙、杨国忠、韦见素、魏方进、陈玄礼及贴身宦官、宫人出了延秋门，甚至连那些在外的妃、主、皇孙都顾不上就离开了。玄宗途经左藏库的时候，杨国忠请求将它烧掉，并说："这些东西千万不可以落到叛军手里。"玄宗伤心地说："叛军如果不能得到什么，就一定会重新在百姓的手中搜刮什么，还是留给他们，这样就不会再增加百姓的负担了。"当天百官依旧如往常一样入朝，到宫门时，还听到计时的滴漏声，禁军宿卫的仪仗依然十分严整。可是宫门打开以后，宫人们纷纷跑出来，朝廷内外扰攘，却都不知道玄宗跑到了哪里。于是王公士民四处逃散，百姓争先恐后来到宫禁与王公大臣的府邸中，掠夺金银珠宝，有人乘驴上殿，又有人在左藏大盈库纵火。崔光远、边令诚带人救火，又招募人员暂时代理府、县官以备守卫，最后杀了十几个人，才让混乱的局面渐渐稳定下来。崔光远派儿子向东去与安禄山会面，边令诚也把所负责的宫闱管钥交到了安禄山手中。

【原文】

上过便桥[①]，杨国忠使人焚桥。上曰："士庶各避贼求生，奈何绝其路！"留内侍监高力士，使扑灭乃来。上遣宦者王洛卿前行，告谕郡县置顿。食时，至咸阳望贤宫[②]，洛卿与县令俱逃，中使征召，吏民莫有应者。日向中[③]，上犹未食，杨国忠自市胡饼[④]以献。于是民争献粝饭[⑤]，杂以麦豆，皇孙辈争以手掬[⑥]食之，须臾而尽，犹未能饱。上皆酬其直[⑦]，慰劳之，众皆哭，上亦掩泣。有老父郭从谨进言曰："禄山包藏祸心，固非一日，亦有诣阙告其谋者，陛下往往诛之，使得逞其奸逆，致陛下播越[8]。是以先王务延访忠良以广聪明[9]，盖为此也。臣犹记宋璟为相，数进直言，天下赖以安平。自顷以来，在廷之臣以言为讳，惟阿谀取容，是以阙门之外，陛下皆不得而知。草野之臣，必知有今日久矣，但九重严邃[10]，区区之心，无路上达。事不至此，臣何由得睹陛下之面而诉之乎！"上曰："此朕之不明，悔无所及！"慰谕而遣之。俄而尚食举御膳以至，上命先赐从官，然后食之。命军士散诣村落求食，期未时皆集而行，夜将半，乃至金城。县令亦逃，县民皆脱身走，饮食器皿具在，士卒得以自给。时从者多逃，内侍监袁思艺亦亡去，驿中无灯，人相枕藉而寝，贵贱无以复辨。

【注释】

①便桥：此桥在长安城外渭水上。

②望贤宫：宫殿名，距长安四十里。

③日向中：将近中午时分。

④胡饼：烧饼。

⑤粝（lì）饭：糙米饭。

⑥掬（jū）：双手捧着。

⑦酬其直：偿还所值价钱。

⑧播越：流亡，逃亡。

⑨以广聪明：扩展听闻，让自己耳聪目明。

⑩邃（suì）：深远。

【译文】

玄宗一行人来到便桥，杨国忠命人将桥烧毁。玄宗说："士庶也在各自逃难，怎么可以将大家的求生之路毁掉呢！”于是留下内侍监高力士，让他将火灭掉之后再跟上来。玄宗派宦官王洛卿前行，告知郡县准备着安置皇上。午饭时间，玄宗等人到了咸阳望贤宫，王洛卿与县令早已经跑得没了踪影，中使征召，官员与百姓也没有听从的。将近正午，玄宗依然没有吃饭，杨国忠亲自买了胡饼给玄宗。于是百姓争相进献糙米饭，里面还掺杂着麦豆。皇孙们争着用手捧着吃，不一会儿就吃完了，却还是没有吃饱。玄宗都付了钱给他们，并慰劳了他们。百姓难过地哭了，玄宗也遮面哭泣起来。有老人郭从谨进言说:“安禄山这个贼人心肠歹毒，有反叛之心并非一两天的事情了，也曾有人到宫门口告发他，却都被陛下杀死了，这才让安禄山的阴谋得逞，致使陛下流亡。先王务必要寻找忠良之士来让自己耳聪目明，就是因为如此。臣还记得宋璟担任宰相的时候，多次进谏，天下才可以安然太平。后来廷臣忌讳直言，只剩下奉承之词，所以宫门之外的事情，陛下就都不知道了。草野臣民知道这一天迟早会到来，但天子长时间居住在宫里，我们没有办法将自己的心意告知陛下。事情若不是到了今天这样，臣怎么会有机会见到陛下，说出这些话呢？”玄宗说:“唉，这些都是朕造成的，可是现在后悔已经来不及了。”玄宗只好在安慰晓谕之后将大家送走。不久尚食将御膳送到，玄宗下令先赐给从官们，之后自己再食用。军士被分派到村落中要吃的，约好未时在这里集合，然后出发。玄宗一行人半夜才到达金城县，而这里的县令早已经逃之夭夭，当地的百姓也都已经跑了，好在还剩下一些饮食器皿，所以士卒们自己煮东西吃了。那个时候，随从的人很多都已经逃跑了，内侍监袁思艺也逃亡了，驿站中没有灯火，人们只能相互枕着入眠，贵贱等级已经无法分辨了。

【原文】

丙申，至马嵬驿[1]，将士饥疲，皆愤怒。陈玄礼以祸由杨国忠，欲诛之，因东宫宦者李辅国[2]以告太子，太子未决。会吐蕃使者二十余人遮[3]国忠马，诉以无食，国忠未及对，军士呼曰："国忠与胡虏谋反！"或射之，中鞍。国忠走至西门内，军士追杀之，屠割支体[4]，以枪揭其首于驿门外，并杀其子户部侍郎暄及韩国、秦国夫人。御史大夫魏方进曰："汝曹何敢害宰相！"众又杀之。韦见素[5]闻乱而出，为乱兵所挝[6]，脑血流地。众曰："勿伤韦相公。"救之，得免。军士围驿，上闻喧哗，问外何事，左右以国忠反对。上杖屦[7]出驿门，慰劳军士，令收队，军士不应。上使高力士问之，玄礼对曰："国忠谋反，贵妃不宜供奉，愿陛下割恩正法。"上曰："朕当自处之。"入门，倚杖倾首[8]而立。久之，京兆司录韦谔前言曰："今众怒难犯，安危在晷刻[9]，愿陛下速决！"因叩头流血。上曰："贵妃常居深宫，安知国忠反谋！"高力士曰："贵妃诚无罪，然将士已杀国忠，而贵妃在陛下左右，岂敢自安！愿陛下审思之，将士安，则陛下安矣。"上乃命力士引贵妃于佛堂，缢杀之。舆[10]尸置驿庭，召玄礼等人视之。玄礼等乃免胄释甲，顿首请罪，上慰劳之，令晓谕军士。玄礼等皆呼万岁，再拜而出，于是始整部伍为行计。

【注释】

①马嵬（wéi）驿：今陕西兴平西北。

②李辅国：本名静忠，后改名辅国。

③遮：拦住。

④支体："肢体"。

⑤韦见素：左相。

⑥挝（zhuā）：敲打，击打。

⑦杖屦（jù）：手杖和鞋子。屦，鞋子。

⑧倾首：低头。

⑨晷（guǐ）刻：一会儿。

⑩舆（yú）：抬。

【译文】

丙申，玄宗一行人到达马嵬驿。将士们又饿又累，十分愤怒。陈玄礼认为这一切的祸事都是杨国忠造成的，一心想要杀死他，于是通过东宫宦官李辅国告知太子，但太子不能做出决定。就在这个时候，吐蕃使者二十多人拦着杨国忠的马，哭诉着索要粮食充饥，杨国忠还没有回答，将士们就大喊着："国忠与胡人勾结，意在谋反。"说着，就有人向他射箭，射中马鞍。杨国忠从马上摔下来，急忙起身逃到驿站西门内，将士们追上去将他杀死并分尸，然后用枪挑着他的脑袋悬挂在驿门上，之后又将他的儿子户部侍郎杨暄及韩国、秦国夫人杀死。御史大夫魏方进说："你们哪里来的胆子，竟敢杀害宰相！"将士一听，又将魏方进杀了。韦见素听到外面骚乱的声音出来查看，被乱兵击打，脑袋受伤，流血不止。有人说："不要伤了韦相公。"韦见素这才被人救起，得以幸免。军士围住驿站，玄宗听到外面乱糟糟的声音，问发生了什么事情，身边的人告诉玄宗说杨国忠谋反。玄宗拄杖穿鞋出了驿门，安慰军士，下令收队，军士们竟然无一人响应。玄宗派高力士问其原因，陈玄礼答道："国忠谋反，贵妃不适合再侍奉在皇上身边，希望陛下能够割断恩情，将杨玉环处死。"玄宗说："朕一定会亲自处理好这件事情。"然后进屋，拄着手杖低着头站在那里。过了很久，京兆司录韦谔上前进言："现在将士们个个义愤填膺，众怒难犯啊，所谓生死安危都在一念之间，希望陛下速速做出决定。"说着，下跪叩头流血不止。玄宗说："贵妃一直居住在深宫，怎么可能知道杨国忠谋反呢！"高力士说："贵妃即便没有罪，但是将士们已经将国忠杀死，而贵妃依然侍奉在皇上身边，将士们又怎么会安心呢？希望陛下慎重考虑，顾全大局，只有将士们心安，才能保证陛下的安全啊！"玄宗于是就让高力士将贵妃带到佛堂内，让她自缢。之后，杨贵妃的尸身被放在驿庭，让陈玄礼等人进来观看。陈玄礼等人这才脱下盔甲，磕头谢罪，唐玄宗慰劳他们，并让他们将这件事告诉军中将士。陈玄礼等人高呼万岁，两拜之后出了驿庭，开始整理队伍准备继续前行。